SALUD EN *pinceladas*

Dra. Odelinda Cárdenas García

Primera edición, 2020

Depósito Legal: TF-983.2019
ISBN: 978-84-09-17532-1
Registro: 2020001635
Entrada: 9/2/2020

No cosido/tapa blanda o bolsillo
Idioma: Español (Castellano)
Fecha de publicación: 28/2/2020
V.F.: Familiar y salud original

Colaboradora: Dra. Odelinda Portú Cárdenas.
Diseño de cubierta y maquetación: Vizcaíno Diseño y Creatividad.

Dedicatoria:

Al Creador, por permitirme habitar en este planeta, por medio de mis padres que me dieron la oportunidad de una formación integral y segura.

A mis hermanos mayores, que fueron mis guías, y el resto de los familiares desde la distancia.

A mis hijos, nietos naturales y el de corazón, con todo mi amor

Los profesores, alumnos, asistentes, vecinos, todos con los que de una forma u otra me he relacionado y aprendido.

A las familias que tan amorosamente me acogieron durante la estancia en Puerto Rico y en Santa Cruz de Tenerife, donde se culminó este trabajo.

En especial, cumpliendo parte del compromiso efectuado en la adolescencia con mi hermano Pedro Pablo, que planeamos trabajar juntos de futuro, en nuestro pueblo de Güines, pero lo perdimos físicamente a esa corta edad, sin dejar descendencia. Espero haber trabajado por los dos durante todo el tiempo.

¡¡¡ GRACIAS¡¡¡

"Tu salud mental y física, depende de ti. Cuídala."

PRÓLOGO POR LA AUTORA

Estos temas fueron redactados sobre el año 2015, actualizados y corregidos en el 2019 donde fue terminada para su ulterior presentación y precisamente coincidió con la llegada de la virosis del Coronavirus, Covid- 19, que invadió todos los países, convirtiéndose en una verdadera Pandemia, y muchas de las recomendaciones, como prevención se encuentran plasmadas aquí por estudios realizados y experiencias personales y profesionales vividas en épocas anteriores.

Esta Pandemia se encuentra en investigación en este momento por las diferentes instituciones científicas, y solo comentamos que hay cientos de miles fallecidos, y millones de contagiados, hasta ahora.

Durante el confinamiento solicitado a la población mundial y como proyecto de apoyo general, aceleramos y terminamos la edición del libro SALUD EN PINCELADAS que podrá servir en general, en muchas patologías como ayuda en el reconocimiento de algunos síntomas y signos, además de otros aspectos con los que usted podrá comunicarse ampliamente con su profesional de la salud.

Proyecto culminado en tiempo de confinamiento 2020.

Esperamos les sea de utilidad.

Gracias

Dra. Odelinda Cárdenas García

LA AUTORA

Natural de Güines, en la provincia de la Habana, actualmente Mayabeque, Cuba, de una familia numerosa, allí cursó sus estudios primarios hasta el bachillerato, más mecanografía e inglés para terminar la carrera de secretariado. En la adolescencia cantaba, por invitación, en la iglesia y bodas de su pueblo acompañada por algún familiar.

En esa época existió una huelga universitaria por lo que los bachilleres estuvieron varios años sin matricular en la Universidad de La Habana.

Por sus facultades vocales fue una de los finalistas en el programa de televisión **PROGRAMA DE JOSÉ ANTONIO ALONSO**, interpretando arias de óperas y romanzas de zarzuelas, así como canciones napolitanas, y variadas.

Posteriormente matriculó la carrera de Medicina en dicha Universidad, formando parte de los alumnos fundadores de las becas universitarias y permaneciendo en un internado creado para esos fines. Contrajo matrimonio y procreó dos criaturas (niña y niño).

Continuó los estudios con la dualidad de medicina y canto, participando en los estudios del libro Suelo, Hierba y Cáncer de André Voisin, organizaciones escolares, científicas y culturales, Directora de la comisión de Coros y Solistas de la Universidad de la Habana y otros, compartiendo el personaje de Cecilia, en la zarzuela ¨Cecilia Valdés¨, de Gonzalo Roig y como asistente de dirección del maestro Miguel de Grandy.

Graduada de doctora en medicina general y posteriormente la especialidad de otorrinolaringología, con alto rendimiento clínico-quirúrgico, más la de Logopedia y Foniatría en Cuba. Primera doctora Otorrinolaringóloga-Logofoniatra certificada en su país y cantante profesional.

Evaluada ante jurado, como cantante profesional en el Teatro Nacional de Cuba, con clasificación A. Siempre atenta a la medicina complementaria en busca de los puntos de unión satisfactorios.

Presentó trabajos en Jornadas Científicas y Congresos en su país. Ejerció la docencia a alumnos de enfermería, técnicos, alumnos de medicina y asesoró diferentes tesis de grado, participando como parte de jurado en exámenes de residentes de medicina en su país natal.

Estudió canto, piano complementario, aplicando su experiencia como cantante y sus conocimientos científicos al cuidado de las voces de los profesionales de la voz y público general, incluyendo piano en sus terapias vocales con su técnica **SINKINESIS MÚSICO VOCAL**. Con ella pudo lograr la introducción de una variante del examen de las cuerdas vocales fácilmente, sin riesgos instrumentales ni anestésicos. **LARINGOSCOPIA INDIRECTA**, una variante publicada y registrada. © 1984

Con ello brindó apoyo a las Escuelas de Arte y Empresas Artísticas, incluyendo la Opera Nacional de Cuba.

Al mismo tiempo que realizó estudios de despistaje en músicos para evaluar profilácticamente, su rendimiento auditivo.

Viajó a Puerto Rico a intercambio Científico, y después de cierto tiempo, adquirió la Ciudadanía de Estados Unidos de América, allí incorporó a su práctica, ciertos procedimientos y sistemas de salud complementarios.

Años después, llegó a Santa Cruz de Tenerife, donde se residenció y se incorporó a actividades afines a su quehacer y otras en bien social integral.

Publicó un libro titulado: **MÉTODO DE ESTUDIO ESPAÑOL/INGLÉS**, además, registró como propiedad intelectual e industrial, varias innovaciones de índole científico y general.

Escribe para revistas, periódicos, artículos de salud, ambiente y otros de carácter integral. Participa en actividades benéficas, estudiosa, cooperadora, activista (unida a las causas humanistas y progresistas) y siempre ha sido una lectora incansable desde su infancia.

INTRODUCCIÓN

Muy buenas, soy SALUD EN PINCELADAS, y por ser en pinceladas no dejo de ser profundo e interesante:

Me presento ante ustedes con el propósito de encontrar una manera fácil para comprender nuestra salud individual e internamente. Así logramos disminuir el proceso de inicio de ciertos problemas de salud, y de igual manera tratar de la recuperación de ellos.

Claro, que esto depende de diferentes causales como, la genética, hábitos de vida previos, alimentación, postura, relaciones personales, laborales, sociales, hidratación y demás.

Nos preocupamos por conocer muchas cosas del pasado, presente y futuro, cosas sumamente importantes, pero existe algo de vital reconocimiento que es tratar de conocernos a nosotros mismos y con ello lograr siempre que sea posible, una salud más o menos estable con la que podamos cooperar.

Con ese estado de salud mental. física y emocional podremos tratar de solucionar y estabilizar ciertas situaciones con las que nos encontramos diariamente.

Me han confeccionado de manera sencilla, amena, entretenida con fácil acceso a diferentes temáticas y que aumentarán en otras ediciones.

Dentro de los aspectos que en mi interior están: referencias a órganos y sistemas respiratorios, cardiovascular, digestivo, nervioso central y periférico, voz y habla, dermatología, oftalmología, parasitología, locomotor, circulatorio. Además, sobre el ambiente, enfermedades tropicales y otros.

Espero que me aprecien con el cariño que me he presentado.

Salud en Pinceladas
Gracias

Índice de Contenidos

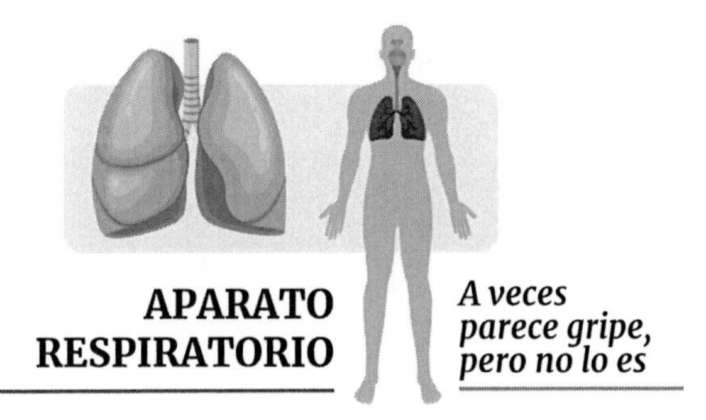

APARATO RESPIRATORIO

A veces parece gripe, pero no lo es

Durante nuestra vida apreciamos cambios en los diferentes sistemas y modos de vida, hasta llegar a una serie de descubrimientos e inventos nunca soñados para conservar la salud.

Estos sistemas son de utilización constante y necesitan un mantenimiento adecuado para su buena función y para tratar de conservarnos, en lo posible.

Una afección que puede lesionar nuestra salud en nuestras costumbres, es la **Legionelosis**. Ésta, muchas veces pasa desapercibida pues se asemeja a ciertas afecciones frecuentes y puede entenderse como una simple gripe.

Diariamente participamos en una serie de actividades personales, laborales y sociales propias del desarrollo individual y colectivo que pueden llevarnos a contraerla.

Pasados unos días de la contaminación, aparecen ciertos síntomas cuyo origen no podemos describir por el tiempo transcurrido, y es que existen microbios que tienen ciertos días de incubación dentro del organismo y se manifiestan posteriormente.

Tenemos que en 1976 hubo una epidemia en Filadelfia entre los participantes de una Convención Estatal de la Legión Americana, que presentaron ciertos signos y síntomas respiratorios agudos, y se le llamó **ENFERMEDAD DE LOS LEGIONARIOS**. Al pasar el tiempo y aislarse la bacteria causal que fue nombrada **LEGIONELLA PNEUMOPHILA**, a la enfermedad se le oficializó con el nombre de: **LEGIONELOSIS**.

Esta enfermedad, por inhalación y / o contacto, se manifiesta en dos variantes: **Enfermedad de Pontiac** (sencilla), y **Enfermedad del Legionario**, (grave). Como todas, en ellas existen factores de riesgo personal y ambiental.

FACTORES DE RIESGO PERSONAL

- Fumar
- Alcoholismo
- Afección pulmonar
- Edad avanzada
- Insuficiencia renal
- Algunos fármacos
- Más frecuente en los hombres

FACTORES DE RIESGO AMBIENTAL

- Aerosoles y duchas en centros públicos, sanitarios, jacuzzi, hogar, grandes edificios sin debido mantenimiento.
- Material contaminado.
- Por aire acondicionado.
- Equipos de refrigeración y humidificación.
- Aguas cálidas y estancadas.
- Centros muy concurridos, hoteles, sistema de agua interior, lagos, estanques, aguas termales, hábitats acuáticos y muchos más.
- Torres de refrigeración, piscinas, sauna, bañeras, hidromasajes, ciertos riegos.
- Esto cuando no se realiza la debida higienización de locales y materiales.
- Se plantea que después de la primera infección no debe repetirse.

En la **FIEBRE DE PONTIAC**: No debe existir la neumonía y está representada por un cuadro gripal común, cansancio general, debilidad, dolores articulares, cefalea, fiebre y tos seca o con expectoración, conjuntivitis, lesiones dermatológicas y otras.

Muchas veces se piensa que es gripe y no acuden al facultativo por lo que no se diagnostica, y se complica.

La **ENFERMEDAD DEL LEGIONARIO**: Aparece con síntomas llamativos con tos expectoración más abundante, falta de aire, dolores de cabeza, a veces diarrea, dolor torácico al respirar y en casos graves, alteración de la conciencia. En mayores pueden llegar a presentar dolor abdominal, diarrea, fiebre y otros síntomas. Además, presentan un tipo de Neumonía que puede agravarse. El índice de mortalidad en ellos es de 25% de los afectados.

Existen medios de diagnóstico por el facultativo de acuerdo a los hallazgos encontrados en cada persona: en la entrevista se debe informar las características de su malestar y sus condiciones ambientales, actividades, viajes recientes, etc. Igualmente existen ciertos exámenes que pueden ser de acuerdo a cada uno.

Desde el punto de vista general, existen métodos establecidos:

- Evitar el estancamiento de agua.
- Disminuir la suciedad y residuos. Cuidar las esponjas de todo tipo.
- Imposibilitar el desarrollo de bacterias, desinfectar y controlar la temperatura.
- Limpieza e higienización de instalaciones de agua o aire acondicionado.
- Los nebulizadores de agua y humidificadores de alimentos en almacenamiento.
- Las fuentes ornamentales, piscinas, con limpieza y purificaión adecuada.
- Control del pH, en piscinas, tratamiento depurador adecuado y autorizado.
- Tomar muestras para el cultivo por servicios de profesionales.
- Mantenimiento de sótanos y preferible en zonas húmedas.
- **Lo principal es conocer y seguir las directrices implantadas en su zona.**

En el hogar debemos tener atención sobre los artículos que le incorporamos para cubrir las necesidades. Como son, entre otros:

- Filtros en ducha, grifos, terminales de la red de agua.
- Difusores de la ducha, es preferible seleccionar de gota gruesa.
- Desinfectar los filtros de agua, según recomendado en su territorio.
- El aire acondicionado del hogar debe ser higienizado periódicamente.
- Durante época de gran humedad debe aumentarse las medidas.
- Si es necesario, utilizar mascarilla en algunos casos.

El tratamiento debe estar, a cargo del profesional de la salud, después de realizar el diagnóstico y puede ser variado.

> *"Muchos hongos, bacterias, parásitos y virus, se desarrollan en lugares húmedos"*

Le falta el aire: ¿Por qué?

Tengo una tos que va y viene y no me deja tranquilo, ¿Por qué?. Generalizando comentaremos que, el sistema respiratorio realiza funciones esenciales en la vida y salud de ser vivo. Comienza anatómicamente en las fosas nasales y termina en los alveolos. Estructura pulmonar y ubicado en el tórax, sobre el diafragma que lo separa del abdomen, y produciéndose algunos cambios en su interior al paso del aire.

Con este sistema en perfecto estado, generalmente no se padecen enfermedades respiratorias crónicas, pero ante situaciones genéticamente adversas, ambientales, hereditarias, alimenticias, descuidadas, por desconocimiento en la infancia, hábitos tóxicos en los padres, y otros factores, existe la posibilidad de la aparición de afecciones agudas que llegan a cronificarse. Una de ellas es el **ASMA BRONQUIAL**.

El Asma Bronquial, es afección seria y padecida por gran cantidad de personas de todas las edades alrededor del mundo, caracterizada por con aumento en la reacción a diferentes estímulos con estrechamiento de los bronquios.

Existen **FACTORES AMBIENTALES** que pueden desencadenar afecciones respiratorias, y entre ellas tenemos:

A. Humo de tabaco,
B. Ácaros del polvo (frazadas, mantas, almohadas, y otras,
C. Mascotas cuando salen a jugar con animales silvestres,
D. Predisposición genética,
E. Estacionales, etc...

Para prevenir la persistencia de la afección podemos tomar medidas adecuadas:

1. Expicar la situación al médico, aprender sobre las causas y cómo eliminar los factores.
2. Estabecer un plan individualizado.
3. Preparar protección contra factores causantes en el hogar y los alrededores.
4. Prevención de ataques, pues, la educación es importante y determinante en la organización correcta del ambiente y en general.
5. Identificar los fármacos a utilizar por orientación de su profesional.

Hay sustancias a nuestro alrededor que conspiran contra la salud y no nos percatamos de ello en muchas ocasiones, una de ellas puede ser **EL MOHO**, que se encuentra en lugares húmedos, a veces como manchas, por esporas de hongos y bacterias que son transportadas en el aire tanto exterior como interior, siempre en busca de superficies húmedas.

Se encuentra en madera, papel, alfombras, duchas, almohadas, cortinas, paños húmedos, calzado, donde exista humedad, etc.

Si hay goteo en la ducha se debe controlar la humedad, limpiar el moho y solucionar la situación del agua, además de secar los objetos que se encuentren húmedos en 24 -48 horas.

Otro posible causante de afecciones respiratorias es el gas **RADÓN**, que se encuentra abundante en algunos lugares.

Es un gas incoloro, inodoro e insípido, se encuentra en la atmósfera, después de surgir de la tierra y penetra en los edificios por medio de puertas, ventanas, principalmente por erosiones en la pared y mosaicos y entradas de ciertas tuberías, así como desagües.

Su nivel puede variar en diferentes lugares de la residencia y frecuentemente puede producir síntomas respiratorios de diferentes tipos y **CÁNCER DEL PULMÓN**.

EL **MONÓXIDO DE CARBONO** es producto de la combustión incompleta de hidrocarburos en vehículos motorizados, estufas, calentadores, chimeneas en lugar poco ventilado, en otros con mucho tránsito motorizado y se fija a la hemoglobina de la sangre, impidiendo el transporte del oxígeno. Es inodoro, e imperceptible.

Se identifica por los síntomas del dolor de cabeza que aparece tardíamente, concentrándose en habitaciones mal ventiladas, áreas urbanas con mucho tránsito de vehículos motorizados donde es mayor la concentración.

La exposición continua al mismo se muestra como: síntomas de gripe, dolor de cabeza, fuertes mareos, cansancio, náuseas, irritabilidad, confusión de ideas, falta de memoria coordinación y algunos asociados.

De continuar la exposición, aparecen daños neurológicos, déficit de aprendizaje, trastornos sensoriales, emocionales y aumentan.

Como medidas de **precaución** podemos: Instalar alarmas, verificar estado de artículos de combustible, estar alerta a los signos de afectación de útiles.

Rehusar la utilización de calentadores de carbón, estufa de queroseno, y gasolina en lugares cerrados, calibrar los equipos de gas, ubicar extractor de aire y otros recomendados en su zona.

En el **HUMO DE SEGUNDA MANO**, El del encendido y el exhalado es igual a fumar involuntariamente o pasivamente. Contiene miles de sustancias tóxicas y algunas de ellas pueden provocar cáncer, asma, enfermedades cardíacas, respiratorias de carácter general en no fumadores. Son miles de personas no fumadoras que padecen de cáncer pulmonar.

En niños, se presentan riesgos de padecer: Asma, Síndrome de Mortalidad Infantil (SIDS)pulmonía, bronquitis, laringo-tráqueo-bronquitis y otras afecciones respiratorias agudas y crónicas. Dolor en el pecho.

El humo del tabaco nombrado: **CARCINÓGENO GRUPO A**.

Se ha encontrado que existen de 150-300 mil casos de infecciones respiratorias anuales muchas causadas por humo de segunda mano, mientras aumenta paulatinamente, la frecuencia y los episodios de asma.

El tratamiento de estos pacientes, es individualizado teniendo en cuenta sus antecedentes personales y familiares.

El facultativo realizará los estudios pertinentes.

“Es tarea personal protegerse y eliminar los contaminantes del ambiente”.

Y entonces, ¿como respiramos?

La nariz, está formada para proteger el árbol respiratorio y cumplir las funciones de calentar, humedecer y filtrar el aire que penetra en su interior en la inspiración.

Debido a diferentes causas, en ocasiones no lo puede realizar y como consecuencia, aparecen ciertas afecciones en el sistema respiratorio y sus conductos desde la nariz hasta los alveolos.

Estos son las bolsitas que se encuentran al final de los bronquios. Ahora mencionaremos una afección respiratoria frecuente que es: **EL CÁNCER DE PULMÓN**.

Afección frecuente por diferentes causas y la más señalada es el hábito de fumar, con el que se pierden ciertas características protectoras de la mucosa que recubre sus estructuras por la inmensa cantidad de sustancias tóxicas que contienen.

Pero existen otras causas, algunas de las cuales son tan dañinas como hábito de fumar.

Sabemos que hay muchas causantes ambientales de enfermedades respiratorias que posteriormente desencadenan afecciones graves.

En este momento vamos a referirnos a un Gas específico, y es el **GAS RADÓN**: gas incoloro, inodoro e insípido con una vida media de 3-8 días, y tiene efectos más negativos que el tabaco.

Es un gas noble radiactivo, como el helio, neón, argón, xenón y otros que se filtra a través del subsuelo y se genera por descomposición radiactiva de Uranio, en el terreno. Los suelos gramíneos, arcillosos, o arenosos, son más propensos a contenerlo.

El Radón, se difunde al aire libre, pero en espacios cerrados, como viviendas, edificios públicos y privados, sótanos, se acumula, se une a las mucosas que recubren el sistema respiratorio, alterando el ADN de las células pulmonares y pueden ser factor importante en la aparición del **Cáncer del pulmón**.

Ernest Rutheford

Friederich Ernest Dorn.

Los físicos, Ernest Rutherford, Friederich Ernst Dorn y otros mostraron gran interés en el estudio las materias propias de este y otros gases durante su época, logrando grandes avances.

Hablando de aguas, este gas **Radón**, se encuentra en mayor proporción en las subterráneas que en las aguas superficiales y tenemos que la cantidad inhalada en la respiración es más dañina que la ingerida al tomar agua contaminada.

Hay países donde se ha fijado un límite en su concentración para disminuir el riesgo, no obstante, se plantea que siempre es dañino.

Así, el límite aceptable varía según ellos entre 100 y 300 Bg/m3 para declararlo apto, aunque repetimos, el riesgo siempre está presente y depende del país en cuestión.

Se pueden tomar ciertas medidas en cuanto a la protección, como:

- ► Mantener la vivienda ventilada el mayor tiempo posible.
- ► No fumar dentro de ella, en lugares cerrados.
- ► Sellar fisuras y grietas en las estructuras, sótanos, garajes, plantas inferiores, pues puede entrar por las grietas. Tratamiento de los desagües.
- ► Utilizar ventilador o tubo, despresurizar el suelo.

Buscar algún técnico en medición de Radón para saber la concentración. Hacer chequeo periódico en viviendas, escuelas, edificios públicos y privados, centros de salud y, preferentemente en época de otoño al invierno ya que por el frío los edificios permanecen cerrados mayor parte del tiempo.

Los **síntomas** más comunes por inhalación del gas Radón, son: Tos persistente que no mejora, a veces con sangre, ronquera, neumonía, cansancio, dolor de pecho, sibilantes, infecciones respiratorias a repetición, que puede llevar al cáncer del pulmón siendo más frecuente en fumadores y personas con el sistema inmunológico deprimido.

Se apreció en trabajadores de mina y además en 1984, el propietario de una vivienda en Pennsylvania, hizo sonar la alarma de radón al entrar en la Central Nuclear donde trabajaba y así se detectó el gas, en el sótano de su casa.

La concentración del gas Radón varía en una zona, dentro de un edificio o vivienda, y en cada habitación. Además, en las diferentes horas del día y la noche, según aumenta la concentración del gas Radón, aumenta la incidencia de Cáncer de Pulmón.

En conjunto con esos gases, tenemos la gran contaminación ambiental alrededor del mundo en cuya mejora debemos involucrarnos todos.

Hay países que toman determinadas medidas en su control en general y en la construcción de edificios nuevos.

Cualquier lugar puede tenerlo liberado alrededor de las casas y edificios, o en agua de pozo. Por ello hay medidas personales que pueden tomarse.

- Conseguir Kits de prueba de radón para medidas rutinarias.
- Observar y sellar grietas en suelos y paredes.
- Ubicar un Sistema de Extracción en soleras, sótanos y demás.
- Evitar filtración del sótano a las habitaciones.
- Mejorar el Intercambio de aire del interior al exterior del edificio o vivienda.
- Sellar contacto de tuberías, cables, poros entre los bloques.
- Cuidarse personalmente cuando se permanezca en lugares con altas concentraciones del gas Radón.
- Documentarse al respecto.
- Tomar agua bien tratada.

TRES RECORDATORIOS EN EL SISTEMA RESPIRATORIO

- Para conservar el sistema respiratorio es necesario mantener en buen estado las fosas nasales en primer lugar.
- El aire debe llegar a los bronquios **limpio, húmedo y tibio**. La nariz es responsable de ello.
- El sistema respiratorio acepta sólo aire en su interior. La función protectora es la responsable.
- Afección respiratoria de más de tres o cuatro días y fiebre agregada, acudir al profesional para evitar progresión bacteriana y mayores complicaciones.

Resumiendo: Las fosas nasales son sumamente importantes en la función respiratoria y las demás, dado que constituyen la barrera protectora conjuntamente con estructuras linfáticas llamadas amígdalas (palatinas, faríngea, tubárica, lingual, laríngea), formando el **Anillo de Waldeyer** que es, la primera línea de defensa contra los gérmenes que penetran al organismo por boca o nariz.

Tener presente que el contacto durante largo tiempo con asbestos puede provocar una inflamación pulmonar crónica llamada **ASBESTOSIS** además de otras.

Por ello es importante la consulta con su facultativo.

“Las fosas nasales son sumamente importantes en la función respiratoria”.

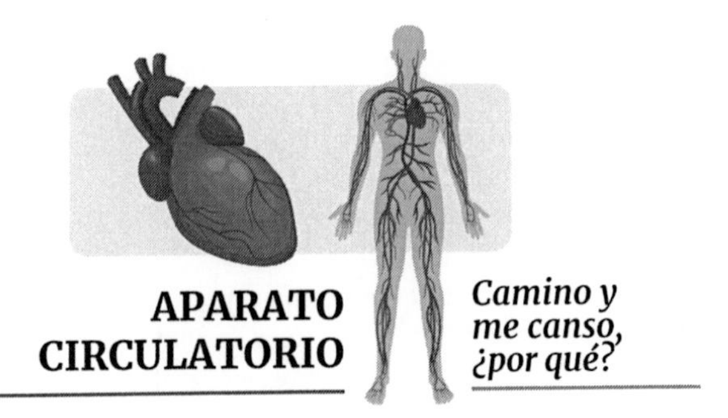

APARATO CIRCULATORIO

Camino y me canso, ¿por qué?

En oportunidades escuchamos esa frase y vienen diferentes causas a nuestra mente. Se repite después de realizar ejercicios o efectuar caminatas, e igual en personas de edad avanzada, aunque realicen menos ejercicios.

Además, puede aparecer en brazos y manos, en cualquier etapa y con preferencia en invierno o lugares fríos.

Esa sensación es llamada: **CLAUDICACIÓN INTERMITENTE** y puede presentarse en el transcurso de diferentes enfermedades, la principal es la arterosclerosis.

La arteriosclerosis produce por un cúmulo de depósitos de grasa en el interior de las arterias, principalmente las del corazón.

Cuando afecta las de las extremidades, se le llama **INSUFICIENCIA ARTERIAL PERIFÉRICA**. A esos niveles, los vasos sanguíneos son los de menor calibre.

En este caso, la sangre no puede llegar correctamente a los músculos y otras estructuras para realizar sus funciones y al no llevar la oxigenación necesaria, se producen los síntomas que pueden variar en frecuencia, lugar e intensidad, y son: dolor, ardor, sensación de pinchazos, calambres, impotencia funcional, enfriamiento, dedos dormidos, cambios de coloración en la piel, y otros.

Entre los factores de riesgos tenemos, la obesidad, hábito de fumar, diabetes, sedentarismo, alimentación inadecuada, antecedentes familiares, aterosclerosis, índices altos de colesterol, ingesta de grasas saturadas, etc.

Más posibles causas de cansancio pueden ser: por neuropatía periférica, trombosis venosa profunda, enfermedades muscoloesqueléticas, compresión de conducto vertebral, entre otras.

Estas afecciones y otras que pueden asociarse.

Para tratar de minimizar los síntomas, pueden aplicarse medidas de precaución como son: no fumar, controlar la diabetes, mantener límites de glicemia adecuados, realizar ejercicios, control de la presión arterial, alimentación nutritiva, relajación, entretenimiento, mantener buen peso y balance mental, físico y emocional.

Además, no ingerir grasas saturadas, evitar movimientos que compriman los vasos sanguíneos, utilizar calzado cómodo, sesiones de masaje, de mucha importancia bajo la supervisión de su facultativo.

Existen medicamentos, métodos quirúrgicos y funcionales capaces de lograr mejoría. Terapia ocupacional, masajes, reflexoterapia, homeopáticos, dejando a la responsabilidad del lector, la selección de su profesional. Además de ejercitarse debidamente.

Dentro de algunos remedios suplementos Vitamina E, ácidos grasos Omega 3 y otros pueden resultar beneficiosos.

"Ciertas horas de ejercicios semanales, son esenciales para una buena salud".

Se me duermen manos y pies

Existen personas muy susceptibles a los cambios de temperatura y sobre todo al frío. En temporada invernal se acrecientan las dificultades de aquellos que lo padecen siendo en ocasiones, verdaderamente molesto e incapacitante. En otras oportunidades pueden provenir de situaciones estresantes o formar parte de enfermedades básicas.

En este trabajo vamos a referirnos al: **FENÓMENO DE RAYNAUD**, entre las que existen ciertas diferencias.

Éste Fenómeno fue descrito, por primera vez, en el año 1862 por el Doctor Maurice Raynaud (Francia).

El **fenómeno primario**, consiste en crisis aisladas, no frecuentes y de corto tiempo de duración (diez o quince minutos), al exponerse a bajas temperaturas, donde se produce una contracción de los vasos sanguíneos y disminución en la circulación, que se reanuda al desaparecer el frío.

Aparece en situaciones de excesivo estrés, por desbalance en el funcionamiento del sistema neurovegetativo que controla el simpático y parasimpático y generalmente no se asocia a ciertas enfermedades.

La causa no es exacta, existe bloqueo e inflamación transitorios de los vasos sanguíneos terminales.

El FENÓMENO DE RAYNAUD: suele asociarse a ciertas patologías como Lupus Eritematoso Sistémico, Artritis Reumatoide, Esclerodermia, Dermatomiositis, Anorexia Nerviosa, Síndrome de Ehlers Danlos, Enfermedad mixta del tejido, Enfermedad de Buerger, Arteritis de Takayasu y otras. En este caso, se le llama secundario.

Aparece igualmente por los movimientos repetitivos de las manos, Síndrome del Túnel Carpiano, trabajo con máquinas vibratorias, y más.

Ciertas personas presentan diferentes síntomas y signos de artritis, erupción cutánea, cambios en la textura de la piel, cansancio y/o falta de aire.

Otro nombre de esta patología es:

SÍNDROME DEL DEDO MUERTO

Como disminuye la circulación en las extremidades o superficies, se aprecia, punta de los dedos blanca o azul, peladuras en las orejas, nariz, que varía según la persona o el grado de frialdad.

Asimismo, enfriamiento, dolor, hormigueo, punzadas, excoriación o rajadura en la piel que demora en sanar, desgaste en los tejidos en la punta de dedos en manos y pies.

En los pies con ulceraciones y afección en las uñas, quebradizas y con rayas longitudinales, por lo que es muy importante, llegar al **diagnóstico temprano** para evitar complicaciones a largo plazo.

Es de interés, el historial personal y familiar, la analítica según las necesidades, estudio de la temperatura, estado de los vasos sanguíneos, y el resto de exámenes que el médico estime necesario.

Como medidas preventivas, depende si es el fenómeno primario o secundario.

En el Fenómeno **primario**: Mantenerse en temperatura agradable y evitar frío intenso, ya que es de corta duración y esporádico.

En el **secundario**: Prevenir daño de acuerdo a alguna afección del tejido, no fumar, bajar tensión emocional, utilizar algún fármaco prescrito por el profesional.

Es muy importante mantener medidas preventivas para evitar la aparición de los síntomas tan molestos.

Utilizar guantes principalmente al tocar objetos fríos, en congelador o freezer, no salir al frío si no es necesario. Bañarse con agua tibia y no entrar a la bañera hasta que tenga temperatura adecuada.

Bufandas en parte de la cara y, si es necesario, orejas, cuello y cabeza. Cubrir pies con varios calcetines, ropa amplia, si es necesario con varias capas. Tener un abrigo siempre a mano hasta en verano por los aires acondicionados.

Las manos y pies secos y tibios, que se pueden calentar con agua tibia.

Controlar el estrés, consultar al profesional antes de realizar ejercicios al frio, tratar de reducir los episodios, evitar daños en los tejidos.

Lavar alimentos y si va a fregar, que sea con agua tibia, y secarse bien las manos y cubrirla con la crema que se le indique evitando la sequedad en la piel y entre los dedos.

Existen **medidas preventivas** para mejorar los desagradables síntomas y signos de esta afección, ya sea la primaria o secundaria, que necesita mayor atención para lograr un diagnóstico.

Hay medicamentos bloqueadores que cooperan en la reducción de algunos síntomas.

Como recomendaciones básicas, se plantea, no fumar, ejercitarse, practicar relajación, caminar, buena y caliente alimentación, medicamentos si se lo indican. Calentar manos de diferentes formas y debajo de las axilas, con secador de cabello. Mantenerse en movimiento para activar la circulación, equipos de calefacción.

Desde el punto de vista de las terapias complementarias, se sugieren algunos suplementos, alimentación nutricional y disminuir el estrés, entre otros.

“¡¡La actividad mental y física, arma de buena salud!!”.

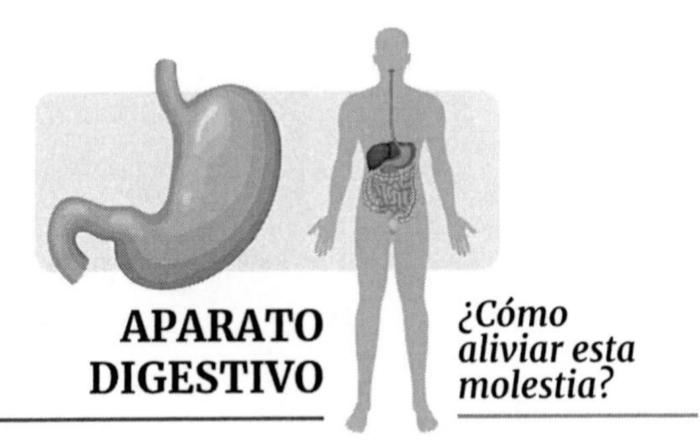

Los dolores abdominales suelen tener diferentes causas ya sean agudas o crónicas y presentan variados síntomas y signos. En este momento, nos referiremos a dos patologías muy parecidas en ciertos aspectos.

Estamos hablando de la **ENFERMEDAD DE CROHN Y LA COLITIS ULCEROSA**. Ambas son enfermedades inflamatorias, que lesionan al intestino en su estructura y funcionamiento. Son crónicas y de difícil curación, hasta el momento.

De acuerdo a la Enfermedad de Crohn, tenemos que es un **Proceso inflamatorio crónico del tracto intestinal, que puede abarcar de la boca al ano. Es frecuente que afecte diferentes partes del intestino: y preferentemente en su parte baja, llamado íleon.**

Según los síntomas principales de la Enfermedad de Crohn, tenemos, entre otros: Diarrea con sangrado o no, cólicos, dolor anal, fiebre, inapetencia, pérdida de peso.

Úlceras bucales, encías inflamadas y sangrantes, dolor en zona baja y derecha del vientre, fatiga, inflamación en los ojos, hinchazón y dolor articular, abscesos, moco y/o fístulas en el recto.

La estomatitis aftosa se presenta frecuentemente en la Enfermedad de Crohn, aunque no es característica distintiva de ella, ya que podemos apreciarla en la Colitis Ulcerosa.

Estas lesiones aparecen en los labios, lengua, paladar, encías, redondeadas, rojizas de bordes elevados y con cierto dolor. Se aprecian en solitario o acumuladas.

Bernard Crohn.

Se visualizan antes de otros síntomas, según se ha apreciado, y son recurrentes apareciendo en diferentes oportunidades.

Teniendo en cuenta la frecuencia: Aparece mayormente entre los 13 y 15 años y después de los 60. Existe mucha incidencia en países industrializados, y afecta igualmente a mujeres y hombres.

Sus causas son en general: Idiopática o desconocida. Se plantea la genética, o la inmunodeficiencia, ya que pueden existir familiares con patología digestiva similar. Más o menos el 20% son causas ambientales, el tabaco, la contaminación, dietas con muchos productos refinados e infecciones.

El diagnóstico se logra mediante la historia general personal y familiar. Ciertas pruebas diagnósticas según sean necesarias de acuerdo al criterio médico.

LA COLITIS ULCEROSA, se extiende en todo el intestino grueso. Puede presentar llagas bucales, borborigmos, fiebre, urgencia defecatoria, aunque se encuentre vacío, diarrea líquida.

Incluso, vómitos, pérdida de peso, osteoporosis, artritis y otros similares a la Enfermedad de Crohn.

En la Enfermedad de Crohn y la Colitis Ulcerosa puede existir un déficit nutricional por:

- Baja ingesta proteica y calórica con pérdida de peso. En ciertos niños existen trastornos del crecimiento.
- Fármacos: Algunos utilizados en su tratamiento pueden provocar mala absorción de nutrientes.
- Por disminución: en la asimilación de grasas y Vitaminas A; D; E; K., además de la absorción de calcio puede provocar insuficiencia renal. Otra forma por disminución de la absorción de Ácido Fólico.

Ciertas personas presentan desasimilación con más nutrientes, como son:

MINERALES

- ZINC: Déficit inmunitario, infecciones frecuentes, perdida del apetito, pérdida de peso, caída del cabello, problemas de gusto y olfato, ronquera trastornos de crecimiento en niños.
- MAGNESIO: Hipertensión, calambres musculares, artrosis, taquicardia, vértigos, fotofobia, estreñimiento. Hormigueo por los labios, espasmos en tubo digestivo, etc.
- SELENIO: Artritis, enfermedad de Keshan,(del corazón), infertilidad masculina, la de Kashin Beck, que es un tipo de artritis, envejecimiento prematuro.

VITAMINAS

A-E-B1-B2-B6-B9-B12
La alimentación puede cubrir diferentes planos, además como preventivo.

Debe protegerse la mucosa y fomentar una buena digestión, facilitar el tránsito intestinal, mejorar los estados nutricionales, alergias, intolerancias alimenticias, sistema inmunitario.

Disminuir la inflamación, prevenir estados carenciales, una dieta equilibrada, ingerir suficientes nutrientes, calorías y proteínas para evitar la desnutrición, así como abundante agua dentro de los límites individuales.

Se recomienda incorporar alimentos ricos en Omega 3 tipo EPA. Beta carotenos (papaya, mango, zanahoria, calabaza y otros).Teniendo en cuenta las intolerancias y alergias.

Germen de trigo, aguacate (Vit E, C, D, Selenio, Zinc). Aceite de oliva, yogurt, pre y probióticos. Además de alimentos que aporten quercetina (cebolla, brócoli y otros).

Evitar, alimentos muy ácidos, alcohol, picantes, gaseosas, los que provoquen flatulencia, café, embutidos, bollería, y otros que individualmente podemos identificar su intolerancia o efecto dañino. Tratar de neutralizar el pH con sustancias apropiadas.

El **tratamiento** en ambas puede ser médico y/o quirúrgico, dependiendo del estado, localización síntomas y signos presentes en la persona desde el punto de vista individual. Necesitan cirugía en un 20-25%.

El pH mide la alcalinidad y acidez de soluciones; tiene varias denominaciones y debe estar en el rango aceptable para que no haya mucha acidez o alcalinidad y mantener en buen nivel las funciones.

"Un Ph adecuado es primordial en los procesos digestivos".

Anorexia: ¿justificada o patológica?

La palabra **anorexia**, se deriva del griego; **a**, que significa **sin** y **orexis**, similar a **apetito**.

La misma fue descrita desde el período helenístico y haremos una síntesis de algunos de sus aspectos.

Se considera como la disminución o falta de apetito que aparece en personas que padecen alguna enfermedad alérgica, digestiva, infecciosa, crónica, febril, recuperación de malestares o cirugía, enfermedades crónicas, lesiones en la mucosa del sistema digestivo etc.

Esta **ANOREXIA**, en general, dura el tiempo aproximado de la patología que le da origen, desapareciendo posteriormente.

De otra manera, puede ser auto inducida por la existencia de ciertas condiciones psicológicas, familiares o del entorno.

Se han descrito algunos **TIPOS DE ANOREXIA**, como, por ejemplo: Nerviosa, restrictiva, purgativa, sexual, inversa, abstinente, sacrificante, y más, según la causa.

LA NERVIOSA: Esta variante se caracteriza por trastorno psicológico de la alimentación, que lleva a distorsión de la realidad en cuanto a la percepción de su figura; lo que lleva a graves consecuencias. Aunque la persona sea delgada, se aprecia obesa y rechaza diferentes comidas por temor a aumentar de peso.

Con semejante apreciación, disminuye la ingestión de nutrientes esenciales lo que la lleva a desnutrición, extenuación, amenorrea y otras deficiencias.

Charles Lasègue
(Anorexia histérica 1870)

Esta variante, puede presentarse por inadaptación social, inseguridad, para llamar la atención, falta de auto estima, situaciones familiares, laborales, depresión, ansiedad, en fin, por trastornos psicológicos de diferente índole.

Frecuentemente evitan asistir a reuniones sociales para no comprometerse en la ingestión de ciertos alimentos que puedan aumentarles el peso.

FRECUENCIA: Se ha encontrado mayor frecuencia durante la adolescencia y en el sexo femenino, aunque puede variar.

Haciendo un poco de historia diremos que, en 1860, Louis-Víctor Marcè, la describió como desorden del estómago.

Posteriormente en 1870, Charles Lasègue, la clasificó como Anorexia Histérica **y destacó la importancia del rol familiar en el desarrollo de esta afección**.

Hay muchos estudios sobre ello, realizados por diferentes científicos, y mencionaremos a: Morris Simmonds, el que lo relacionó con trastornos endocrinos, Sigmund Freud, con una forma de melancolía por trastornos en la evolución sexual y otros.

ALGUNOS TIPOS DE ANOREXIA

1. **SACRIFICANTE:** en ocasiones por situaciones críticas como catástrofes, otras apremiantes, decepcionantes, protestas de diferente índole, toman la decisión de no ingerir alimentos.

2. **RESTRICTIVA:** Se considera la más frecuente y en ella existe restricción calórica, saltan comidas que se sustituyen por otros productos de menor contenido alimenticio, realizan ejercicios exagerados, ingieren sólo aperitivos, pierde IMC (índice de masa corporal) que pueden llevar a daño crítico con efectos secundarios graves.

3. **PURGATIVA:** Igualmente disminuyen la ingesta y agregan sistemas de evacuación con diuréticos y laxantes en exceso. Pueden parecer inestables, irritables, perfeccionistas.

En estudios realizados han encontrado a las niñas con mejor relación con sus madres, otras víctimas de abusos, y algunas por tendencia al alcoholismo en el padre. Además, algunas han presentado ideas suicidas.

4. **INVERSA:** Llamada VIGOREXIA, mayormente practicada por hombres, que se ven delgados y luchan afanosamente por aumentar la musculatura mediante ejercicios extenuantes, exceso en ingestión de proteínas y anabolizantes que pueden llevarlos a daños severos. Generalmente son personas de carácter obsesivo-compulsivo.

5. **SEXUAL O ANAFRODISIA:** Ocurre generalmente por pérdida de interés en la relación sexual y romántica.

El tema sobre **ANOREXIA** es muy profundo, interesante e importante que debemos tener en cuenta la ayuda que podamos ofrecer a las personas que por una razón u otra puedan padecerla. Existen muchos estudios, conclusiones y recomendaciones dignas de análisis.

Es muy importante la observación en el entorno familiar para determinar a tiempo signos elementales que permitan apoyar inicialmente a la persona.

Durante el proceso de ayuno no dirigido profesionalmente, la mucosa gástrica sufre un proceso de atrofia o desgaste por el que no está apta para realizar las funciones de su competencia. Y nos referimos al **FACTOR INTRÍNSECO GÁSTRICO O DE CASTLE Y LA VITAMINA B12.**

William Bosworth Castle.

La vitamina B12 es una molécula que necesita la ayuda de una glucoproteína para ser absorbida, ya que no puede hacerlo por sí sola. Es la llamada Cobalamina, y una causa importante en su deficiencia: Es el **SÍNDROME DE MALA ABSORCIÓN.**

El Factor Intrínseco de Castle, es una glucoproteína que se segrega en el estómago y es indispensable para la absorción de la Vitamina B12.

Su presencia fue descrita por el fisiólogo y físico americano, William Bosworth Castle, de Cambridge, Massachusetts, USA. Destacado investigador y científico condecorado en múltiples ocasiones.

Por otra parte, comentaremos que el déficit o disminución de la absorción de la vitamina B12, favorece el crecimiento de la bacteria Helicobacter Pylori, lo que permite la instauración de úlceras estomacales y diferentes alteraciones conocidas por los que las padecen.

En el intestino delgado con sus tres porciones Duodeno, Yeyuno e Íleon participa en esta función de absorción porque una vez unidos, la vitamina B12 y el Factor intrínseco en el estómago, transitan hacia el intestino delgado y el Factor intrínseco, deposita la vitamina B12 en el Íleon. Allí se absorbe y distribuye.

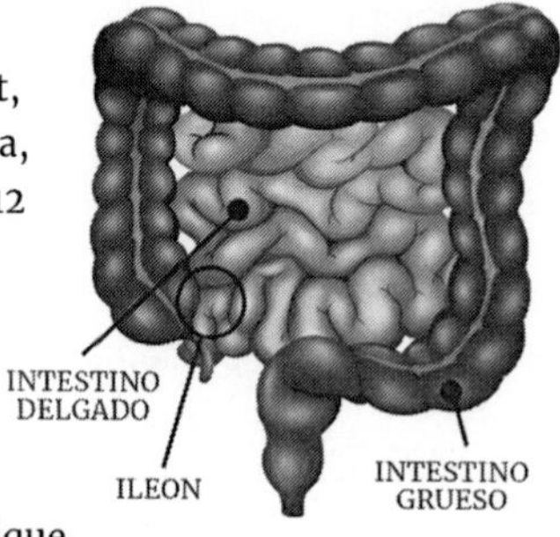

Pasado un tiempo con este déficit, suele desarrollarse la Anemia Perniciosa, independientemente de que exista la B12 almacenada.

Esto trae un cambio en los hábitos sociales, profesionales y personales, llega a una depresión, anemia, debilidad y alejamiento de aquello que signifique alimentación.

En una larga evolución, implantada y sin supervisión adecuada, requiere ayuda y participación de instituciones, personas que cooperen haciéndole conciencia sobre su situación y posibles consecuencias con el paso del tiempo.

"Valores nutricionales normales, balancean, mente, cuerpo y alma".

Hambre o apetito

Muchas veces la señal referente a las sensaciones de Hambre o Apetito, no llega o no es asimilada correctamente por el cerebro, las conducciones nerviosas, o ciertas conexiones deficientes, y tenemos esa duda.

Recordemos que el Centro del hambre y la saciedad se encuentra en una parte del cerebro llamada Núcleo Arcuato a nivel del HIPOTÁLAMO. Este Centro, se ocupa de coordinar y procesar señales periféricas producidas en sistema digestivo, páncreas, tejido adiposo, sistema inmunológico y otros, que activan los procesos de **saciedad o hambre**. Cuando éstos actúan en equilibrio aparecen el hambre o la saciedad, uno de ellos.

Entre algunos de los núcleos del Hipotálamo que intervienen en este proceso tenemos: Centro del hambre, Centro de la Saciedad, Núcleo Arcuato, además el Paraventricular, para resumir.

De otra parte, tenemos que, **COMER**, es un acto individual y/o social. Desde el punto de vista personal, podemos escoger lo que nos apetece y gusta. El social, nos permite relacionarnos, planificar, conversar, desarrollar ciertos proyectos, actualizarnos, Etc.

En el **HAMBRE**, se necesita comida: después de comer, el Páncreas, segrega Insulina, los alimentos se convierten en glucosa que es transportada a las células. Cuando existe disminución de la glucosa, el organismo necesita alimentarse, siente vacío en el estómago y experimenta gruñidos iniciandose la sensación de hambre.

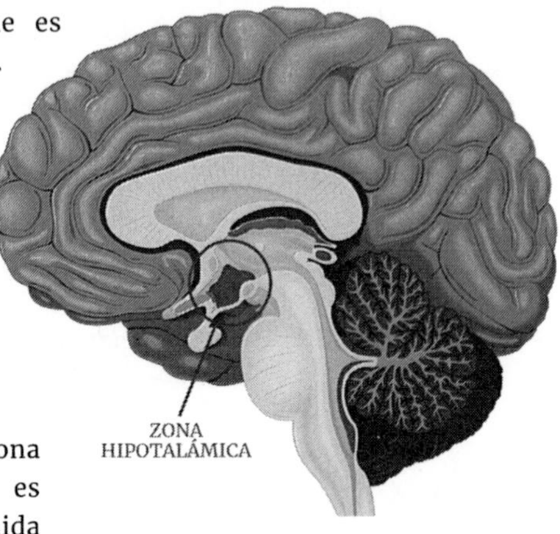

El **APETITO** no se relaciona con necesidad de comida, es una falta psicológica de comida que aparece al recordar un olor, imagen u otro episodio agradable con la comida. Puede existir apetito sin hambre y perderse el apetito cuando se está enfermo, aunque se tenga hambre. Parecido al antojo.

En cuanto a las razones para sentir hambre, algunas son:

1. Tomar mucho refresco.
2. Los carbohidratos refinados.
3. La falta de ensaladas, los vegetales verdes, que contienen, fibra y ácido Fólico, así como los rojos y anaranjados con sus respectivas propiedades, morados y otros de su preferencia.
4. Alimentos enlatados con conservantes.
5. El ayuno permanente o hacerlo leve, sin preparación y otros.

Se aumenta el índice glucémico, produciendo liberación de Insulina, y bajan los niveles de azúcar. El organismo trata de alimentarse.

Igualmente, existe control de sensaciones que están a cargo de:

- **Azúcar** en sangre o glucosa alta, AUMENTA el estímulo.
- **El estómago** es otro regulador que se contrae cuando lleva mucho tiempo vacío y aparece el hambre. Si está lleno, se estimula el centro de la saciedad.
- **Cerebro** controla toda la regulación por estímulos que van a los centros del hambre y la saciedad. Lesiones cerebrales en los núcleos del Hipotálamo y afectan la saciedad, desatan la sensación de hambre. Si afectan el centro de la saciedad puede aparecer anorexia nerviosa.
- **Tabaco**, que contiene miles de sustancias dañinas. Disminuye la sensación de hambre.
- **Diabetes**: Sangre con aumento de la cifra de glucosa que no puede entrar a la célula por la acción de la Insulina y no llega la información al centro de la Saciedad por lo que aumenta la sensación de hambre.
- **Clima**: Si es frío aumenta el hambre por las calorías que mantienen la temperatura.

Además, existen factores reguladores en el funcionamiento del centro del APETITO y dentro de él, el Hambre y la Saciedad.

Por necesidad de elementos energéticos, veamos entre otros:

- Hidratos de carbono en un 50-60%
- Proteínas..............................15-20%
- Grasas................................. 15-30%

Vitaminas, minerales, antioxidantes y el resto de la pirámide alimentaria conocida.

Esto depende de las características personales, edad, talla, constitución física, genética, procedencia, actividad física, alimentación, estado anímico, gasto energético, estilo de vida en general.

Los hidratos de carbono y las grasas producen energía que se utiliza en la actividad, energía que debe reponerse después de los ejercicios. Además, depende de los ejercicios y es igualmente necesaria para mantener ciertas funciones.

Recordamos que la glucosa se renueva más o menos 15 veces al día en la sangre y por ello se recomienda ingerir alimentos aproximadamente 5 veces al día.

Se produce un círculo vicioso entre:

HAMBRE → INGESTA → INSULINA → ACÚMULO DE GRASA →
→ HIPOGLUCEMIA → HAMBRE.

Esto, se repite constantemente.

RECORDATORIO:

- **HAMBRE:** Necesidad imperiosa de comer algo mucho o poco, pero ALGO.
- **SACIEDAD:** Cuando ingerimos, y nos sentimos satisfechos.
- **APETITO:** Deseo de comer cosas que recordamos y tenemos un antojo, aunque no tengamos hambre. (me apetece comer...)
- **PLENITUD:** Etapa en que no deseamos ni necesitamos ingerir NADA por sentirnos PLENOS.

Algunas consideraciones, al reconocer estos cambios bruscos en las sensaciones relacionados con el Hambre o Apetito, es acudir a su facultativo que tiene a su cargo las investigaciones correspondientes según las características de cada paciente.

Existen medicamentos que actúan en este centro y es necesario su utilización mediante prescripción facultativa, donde se debe acudir al reconocer cambios bruscos relacionados con el hambre o el apetito.

Mientras espera por su atención, puede utilizar métodos sencillos como son los siguientes:

En ocasiones cuando sienta hambre, tomar agua, no deleitarse demasiado mirando alimentos apetitosos que pueden estimularlo. Disminuir los carbohidratos refinados, dormir lo suficiente, ejercitarse, combinar bien los aperitivos, algunos frutos secos, adaptarse a determinado horario, consumir ensaladas previo buen lavado de los vegetales.

Recordar que, aunque nos preocupemos por virus y bacterias, debemos pensar en el **parasitismo intestinal**, ya que dichos parásitos pueden introducirse en nuestro organismo por diferentes vías, madurar, multiplicarse, viajar dentro de él, y producir enfermedades; además, algunas reflejan aumento en el **HAMBRE Y APETITO**.

"Orientación motivadora que sugiere, ante la duda, visitar a su facultativo".

Intolerancia al gluten

El ser humano contiene diferentes órganos y sistemas que laboran en conjunto para lograr una buena función general. Dentro de ellos mencionaremos el Sistema Gastrointestinal, por medio del cual, ingerimos, procesamos y eliminamos los desechos normalmente.

Encontramos personas intolerantes al Gluten, que es una sustancia de color pardo y consistencia pegajosa formada por proteínas de ciertas gramíneas y que proporciona energía. Esas pequeñas proteínas se encuentran en cereales de secano como la cebada, centeno, avena y otros. Además, se encuentran en híbridos como la escarida, espelta, kamut, triticate y otros.

Este **Gluten** provee elasticidad a las harinas aumentando el tamaño del pan y masas horneadas con su fermentación y en contacto con el agua.

La intolerancia de cualquier origen, genético, inmunológica, enzimática u otro, que presentan las personas, provoca daño en las vellosidades de la mucosa intestinal.

Al continuar la afección, aumentan síntomas gastrointestinales, náuseas, vómitos, sensación de llenura, cefalea, y puede presentar, pérdida de peso por trastornos nutricionales.

El **Diagnóstico lo realiza su profesional de la salud**, por medio de la información, examen, pruebas complementarias, anticuerpos, pruebas genéticas, de alergia y lo que tenga a su alcance de acuerdo al sistema de salud en función, y en busca de un control adecuado.

Los celiacos y de inclinación vegetariana o vegana,

pueden sustituir la alimentación por Proteínas Vegetales como son, entre otras: Legumbres, frutos secos, semillas, vegetales variados, cereales libres de **gluten** y más.

Amaranto, quinoa, avena, garbanzos, lentejas, judías, nueces, tofú, soja, pistachos, semillas de calabaza, de linaza, harina de almendras. Hamburguesas, salchichas, albóndigas sin carne y sin gluten que existen en los Healthfoods ó herbolarios. Hay lugares donde se acepta la avena sin gluten, pura, no contaminada. Algunos celíacos la toleran y otros no.

Por otra parte, otros pueden hacerlo por medio de las Proteínas Animales como, carnes, leche y sus derivados, huevos, pescado y otros según sus preferencias y a elección conjuntamente con su profesional de la salud y de acuerdo a su preferencia nutricional.

Los frutos secos naturales son aptos para celíacos, pero no aquellos fritos, tostados, salados o con algún procesamiento, en cuanto al sabor o colorantes y por ello, debe tenerse en cuenta la lectura sobre los componentes en las etiquetas nutricionales.

Los Celíacos deben eliminar el **Gluten** de su alimentación pues aumentará el daño sobre la mucosa que recubre el interior del intestino y lo primordial es el control alimentario para un buen mantenimiento del sistema.

Existen recomendaciones sobre la ingesta en los celíacos:

- Leer detenidamente las etiquetas nutricionales.
- Evitar alimentos a granel en ocasiones.
- Elegir variantes Sin Gluten.
- Hay embutidos que para aumentar la consistencia si se le añade gluten.
- Algunas sopas, salsas, batidos, cerveza y otras lo contienen.
- Estar al pendiente sobre los componentes en las instrucciones y composición nutricional.

Lectura de etiquetas nutricionales

La lectura de la etiqueta nutricional debe hacerse con detenimiento, según se recomienda.

Repetimos sobre la importancia de ingerir alimentos frescos, no procesados, ni cubiertos de harinas para conservar el agua. Tratar de evitar las **contaminaciones cruzadas** en el manejo de los alimentos, es algo de vital importancia en la alimentación del Celíaco cuya frecuencia aumenta cada día.

Ir de la mano con su profesional de la salud, para un buen diagnóstico, enfrentar situaciones de intolerancia y lograr una buena nutrición.

Los Celíacos No deben ingerir alimentos con **Gluten** pues éste, aumenta la destrucción de la mucosa del intestino ya sea de causa genética, inmunológica, ambiental, enzimática u otra y suele llevarlo a pérdida de peso, desnutrición y otras complicaciones asociadas.

Ahora bien, científicos han llegado a conclusiones basadas en años de estudio, que las personas que no son intolerantes al **Gluten** si pueden ingerirlo, ya que, si no lo hacen, aumentan sus posibilidades de presentar afecciones cardiovasculares, por disminuir la capacidad protectora al corazón y otras.

Para tener una ingesta saludable debemos seleccionar correctamente los alimentos y proceder a su limpieza adecuada.

“Es importante prevenir las intolerancias e intoxicaciones alimentarias”.

Lactosa y lactasa

Me siento preocupado porque al ingerir algunos alimentos, siento malestar.¿Qué tendré?

Respondiendo algunas preguntas como ésta, diremos que son términos parecidos, pero con diferente significado, lo que en ocasiones puede llevar a confusiones, y por ello hemos decidido hacer este sencillo recordatorio.

Por una parte tenemos a la **LACTOSA,** que es un azúcar contenido en la leche y tiene la capacidad de convertirse en Glucosa y Galactosa, pero necesita de la Lactasa para ello.

De otro lado, encontramos a la **LACTASA** que es una enzima que se produce en el intestino delgado y favorece el desdoblamiento de la Lactosa en Glucosa y Galactosa. Si el nivel de la enzima **Lactasa** en el intestino delgado, está bajo, disminuye igualmente, la capacidad de absorción del azúcar Lactosa que se encuentra en la leche.

Intestino delgado donde se segrega **la Lactasa** que desdobla la Lactosa en Glucosa y galactosa. Hay personas que presenta intolerancia a la **Lactosa** presentando una serie de inconvenientes.

De otra manera, podemos ver diferentes tipos de alteraciones en la asimilación de la **Lactosa**:

1. Por deficiencia genética de Lactasa (Alactasa)
2. Por mala absorción, todo el intestino delgado no puede digerir parte de la Lactosa ingerida. La que no se absorbe completamente en el intestino delgado, pasa directamente al colon y por ciertos mecanismos, se altera la flora intestinal. Ocurre frecuentemente en niños y adultos con deficiencia de lactasa.
3. Por daño en la mucosa del intestino delgado ↓ producción de lactasa → ↑inflamación → ↑daño en mucosa → ↓producción de Lactasa y se produce un círculo vicioso que aumenta la posibilidad de intolerancia a la Lactosa.
4. Existen patologías que pueden incidir desfavorablemente sobre funciones orgánicas y llevar a disminución o mala absorción de la Lactosa por déficit de lactasa.

Algunos signos de intolerancia se describieron hace mucho tiempo, pero esto, se documentó oficialmente en la década de 1950.

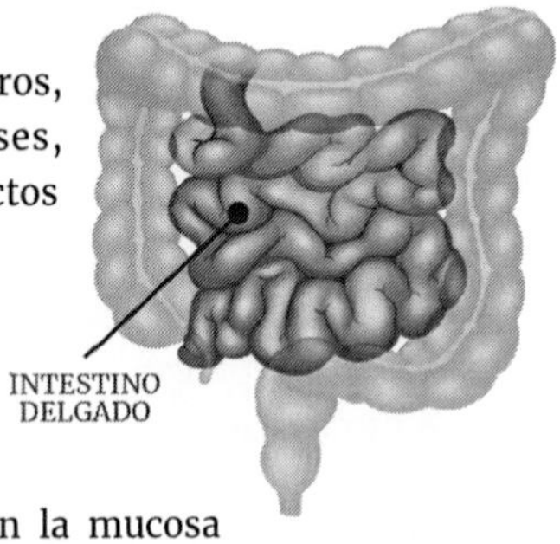

Los síntomas y signos pueden ser, entre otros, diarrea ácida, inflamación abdominal, gases, meteorismo, después de la ingestión de productos lácteos.

INTESTINO DELGADO

Como toda afección, es importante el diagnóstico precoz en los trastornos con la Lactosa, **realizado por su profesional de la salud**. En oportunidades se produce daño en la mucosa intestinal disminuye la secreción de lactasa y ésta a su vez no permite un buen desdoblamiento de la Lactosa en Glucosa y Galactosa.

Ciertas características de la Lactosa dependen de la raza de la vaca o tipo de mamífero en cuestión, la época, estado general, si ha sido medicada, zona y otros factores de índole general.

ALGUNAS APORTACIONES DE NUTRIENTES

Aquellas, personas con intolerancia a la lactosa, al gluten, pueden suplir su alimentación por medio de leche de soja, almendra, arroz, copos de avena y otros preparados de lactasa.

La Vitamina B12 en vegetales, existe en pocas cantidades y puede suplementarse de ser necesario: levadura de cerveza, algas, hongos, germen de trigo, soja, cereales enriquecidos y otros.

Vitaminas, micronutrientes orgánicos en alimentos que ingerimos porque el cuerpo no puede fabricarlo. Cada micronutriente tiene función específica.

Por otra parte, existen bacterias producto de la fermentación, que pueden favorecer el aumento en la producción de Lactasa. Además, en Farmacias, Healthfoods y Herbolarios aparecen productos que abogan por su poder regenerativo de la Lactasa. Estos fermentados, se toleran mejor, Bífidus, lactobacilos acidófilos y otros, si lo necesitara, según le indique su profesional.

"En el sistema digestivo encontramos una variada fuente de salud".

Molestia intestinal

Veo a mi niño algo intranquilo mayormente de noche y moviéndose en el asiento. Al preguntarle, dice que algo le molesta, pero no vemos nada. ¿Qué tendrá?

Lo que cuenta es bastante frecuente y suele deberse a algo muy común. Además, aparece en adultos, pero estos tienen mayor control con sus síntomas. Así mismo, hay múltiples factores a descartar (posturales, inflamatorios, traumáticos, molestias en las caderas, en la columna, vientre, región perianal, etc. y una causa muy frecuente es la contaminación con ciertos parásitos, siendo una afección que marcha de la mano con las enfermedades bacterianas, virales y micóticas.

Los llamados parásitos intestinales son variados, tienen nombre y apellidos como todos, formas diferentes, color distintivo, movilidad, ciclo de vida, actividades, lugar de preferencia para vivir, y otras variantes.

Ellos pueden invadir el cuerpo por diferentes maneras o vías, por ejemplo: ser transportados por el aire, por ingestión debido a manipulación con manos no aseadas correctamente y contaminadas. Por los vegetales lavados con el agua de riego no tratada o contagiada, los abonos, objetos, polvo, tierra, arenas, ropa de cama, objetos escolares, útiles de aseo personal, juguetes, muebles, pies descalzos, lavar utensilios de cocina superficialmente.

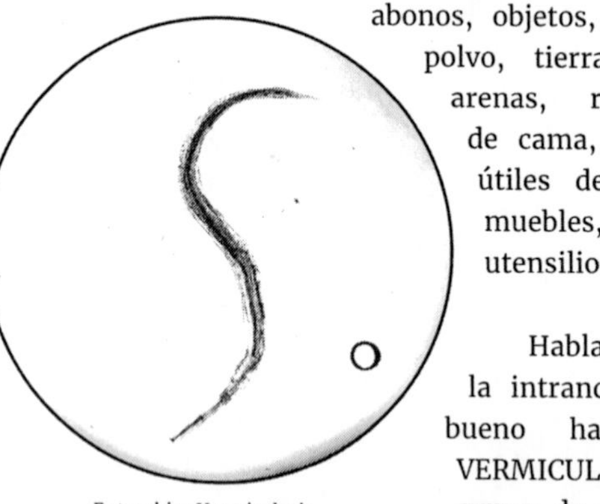

Enterobius Vermicularis.

Hablando específicamente por la intranquilidad de los niños, será bueno hablarte del ENTEROBIUS VERMICULARIS (oxiuro). Este es del grupo de los Nemátodos con cabeza que puede ser del tamaño de una cabeza de alfiler y el cuerpo tiene variada dimensión, de color blanco parecido a fragmento de hilo y tiene cola con gran movilidad, Consta de una boca y están cubiertos de una capa gelatinosa.

El ENTEROBIUS VERMICULARIS, tiene sistema digestivo, excretor, nervioso y sexual. Puede vivir fuera del cuerpo durante semanas, aunque tiene algunas subespecies que pueden vivir fuera de un organismo. Por otra parte, tenemos que algunos de los factores que inciden en el individuo pueden ser, la desnutrición, sistema inmunológico deprimido, bajo peso, y otros.

Así tenemos que esos huevos gelatinosos una vez ingeridos por la persona, pasan al sistema digestivo, después, la hembra embarazada, baja al ano por la noche, y allí pone sus huevos, mordiendo la mucosa anal para fijarlos. Estos tienen un tiempo de maduración aproximado entre dos a seis semanas. Es por ello que el prurito o picazón se presente de noche.

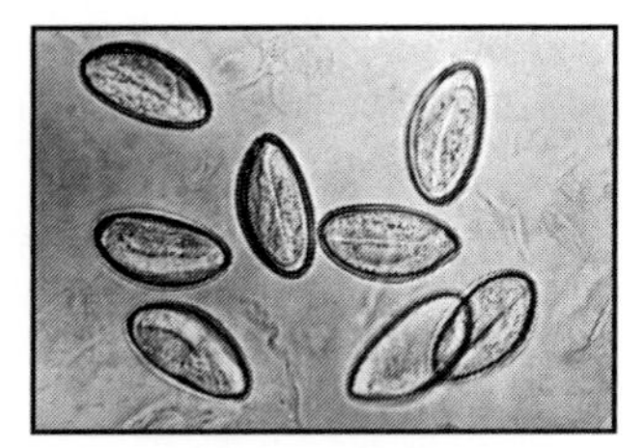

Huevos de Oxiuro.

Al rascarse, pueden pasar los huevos a los pulpejos y debajo de las uñas. Por ello es frecuente en aquellos que acostumbran a no lavarse bien las manos, morder las uñas o tener los dedos en la boca.

En casos excepcionales, se menciona la transmisión a mujeres que han presentado peritonitis, endometriosis y salpingitis.

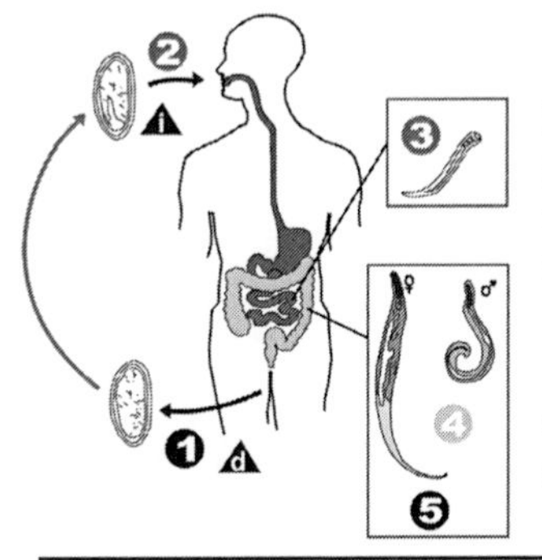

El ENTEROBIUS VERMICULARIS, en el punto de implantación tiende a producir granulaciones por reacción local. Además, se les relaciona con apendicitis, en algunos casos.

Puede apreciarse revisando la zona y se realizan pruebas de laboratorio para confirmación, y detectar los huevos.

Es por esto que te recomiendo estas y otras cosas que deben tomarse como medidas: lavarse bien las manos varias veces al día, siempre que sea necesario y preferentemente al llevar alimentos a la boca, atender la limpieza de los objetos, ropa personal, de cama.

Igualmente utilizar agua adecuada y muy pendiente durante el juego de los niños con el lavado de manos, no morder las uñas, no llevar objetos a la boca y otros cuidados.

Con estas y otras medidas puede disminuirse la contaminación con estos microorganismos.

Al observar estos síntomas o/y signos, puedes acudir a tu facultativo que utilizará los métodos adecuados y te indicará el tratamiento correcto.

El sistema digestivo que se extiende de la boca al ano, juega papel importante en la asimilación de la ingesta diaria, pues debe asimilarlo y combinarlo y procesarlo, para expulsar los desechos adecuadamente. Por ello es importante la selección alimentaria que hagamos y la eliminación de toxinas que tengamos. Importante es el equilibrio del pH.

"Esta información es orientativa y lo primordial es visitar a su médico".

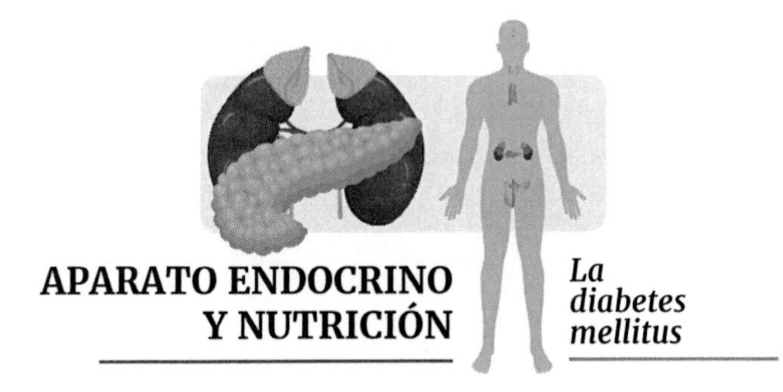

APARATO ENDOCRINO Y NUTRICIÓN

La diabetes mellitus

Esta enfermedad ha aumentado vertiginosamente en los últimos años a nivel mundial, se realizan estudios y propuestas a fin de disminuir su incidencia y complicaciones. Aproximadamente una persona de cada once la padece actualmente.

La diabetes consiste en un aumento de la cifra de azúcar por encima de los niveles llamados normales. Azúcar necesaria, pues es fuente de energía para el cerebro, las células musculares y otros sistemas. Cuando esa cifra aumenta por encima de los niveles normales, se denomina **Diabetes**, y ésta puede ser **Tipo 1** o **Tipo 2**. Además, está la **Prediabetes** con cifra aumentada pero no llega a considerarse como Diabetes. Por otra parte, puede aparecer la Diabetes **Gestacional**.

La **Diabetes tipo 1**: Aparece en la infancia o adolescencia, aunque se encuentra a cualquier edad. No se indica una causa exacta y se mencionan la genética y ambiental en que el sistema inmunológico destruye las células Beta, que producen la insulina en el **Páncreas** y el azúcar se acumula en la sangre, en lugar de llegar a las células.

La **Diabetes tipo 2**: Puede aparecer después de la adolescencia y más frecuentemente sobre los cuarenta años, aunque se observa en niños. En esos pacientes, hay ciertas células resistentes a la Insulina y el Páncreas no puede generarla.

El azúcar se concentra en la sangre por no llegar a las células correctamente. Se asocia con obesidad, sobrepeso, inactividad, genética, aunque no todos lo son. Este tipo 2, resulta ser más frecuente, posiblemente por estilo de vida no saludable y eso aumenta las condiciones de riesgo.

La **Diabetes Gestacional**: En las mujeres, las hormonas durante el embarazo provocan una resistencia a la Insulina, el Páncreas no puede suplir la Insulina necesaria.

Los síntomas que evidencian mayormente la existencia de Diabetes son, entre otros, las llamadas, por algunos, las tres **Ps** (**P**oliuria, **P**olidipsia, y **P**olifagia).

Además, cansancio en ocasiones, heridas que tardan en cicatrizar, pérdida de peso sin causa aparente, mal humor, irritabilidad, disfunciones variadas, sudoración, palidez y otros.

CIERTOS FACTORES DE RIESGO

Existen varios factores de riesgo en cuanto al padecimiento de la Diabetes, como: El peso, el estrés, raza, la genética, inactividad, sexo, hipertensión arterial, obesidad, nutrición e ideopática.

ALGUNOS ESTUDIOS

A. En cuanto a la masa corporal, se puede permitir bajar de 5 a 10 % del peso del paciente diabético.
B. La Dieta Mediterránea y la Vegana influyen favorablemente en el conteo glucémico, más que la dieta baja en grasa.
C. Se plantea dieta individualizada según las necesidades personales y el control metabólico.
D. Se estudia si una dieta rica en proteínas, puede reducir el daño renal en pacientes de DM2.
E. La sustitución de proteína animal por la vegetal, mejora el control glucémico.
F. Un mayor consumo de grasas vegetales, disminuye el riesgo de contraer DM2, según estudios recientes.
G. Un mayor consumo de Omega 3-6, mejora la salud cardiovascular y disminuye el riesgo de contraer Diabetes Mellitus 2.
H. No hay evidencia de actuación en la prevención de la Diabetes Mellitus 2 con los frutos secos, aunque tengan variedad fitoquímicos y fibra.
I. Las almendras y avellanas, contienen grasas monoinsaturadas. Las nueces aportan grasas poliinsaturadas.
J. Las frutas y fibra no soluble, disminuyen la incidencia de DM2, así como crucíferas y vegetales de hoja verde.
K. En la **mujer** se ha detectado disminución de la mortalidad cardiovascular por incremento en la ingesta de salvado
L. La dieta Mediterránea tradicional mejora los compuestos lipídicos en los pacientes de Diabetes Mellitus 2(DM2).

Puede ser variado el grupo de **complicaciones** en los pacientes de Diabetes Mellitus tipo 2, entre muchas tenemos que:

Con el tiempo afecta todos los sistemas, provoca trastornos en la piel, en la vista, glaucoma, alteración de vasos sanguíneos, nervios, sistema cardiovascular, respiratorio, renal, altas cifras de en el colesterol y otros lípidos, lleva a hipertensión arterial, amputaciones, mala circulación en las piernas, discapacidad, disfunciones, riesgo en la calidad de vida. En resumen: **Se complica**.

Las condiciones sociales mundiales, la contaminación ambiental, el cambio climático, la competencia leal y desleal y otras posibles causas, afectan paso a paso, la salud mental y física de las personas.

Unas recomendaciones sencillas son:

- Tratar de interactuar con el estrés.
- Meditación, concentración, autoanálisis, lectura, brindar su ayuda a necesitados, entretenimiento, deportes.
- Llevar alimentación adecuada y dirigida de acuerdo a sus necesidades.
- Trabajarlo en coordinación con su facultativo.

Un balance adecuado y permanente entre cuerpo, mente y alma, puede contribuir a una estabilidad personal y social.

“Debemos mantener hábitos saludables en la ingesta diaria”.

Sobrepeso y obesidad

A veces aumento de peso y otras bajo algo, siempre me tomo medidas y no son estables. ¿Por qué?

Después de las fiestas, donde abundan los manjares más deliciosos y se estrenan recetas para halagar a familiares y amigos, aparecen las preocupaciones sobre las molestias físicas y el aumento de peso.

Entonces debemos pensar sobre la forma de remediar los excesos cometidos y que. paso a paso irán aumentando nuestro malestar.

Es preciso tratar de no llegar al sobrepeso y la obesidad para evitar ciertas complicaciones que le siguen y que a la larga pueden tener malas consecuencias.

Ambos consisten en un desequilibrio metabólico relacionado con la ingesta de alimentos muy calóricos y una débil eliminación. Esto puede deberse a poca información, desconocimiento, políticas de apoyo ineficientes, cambios ambientales, trastornos emocionales, malos hábitos alimentarios y otros.

La obesidad como dijimos, se debe a un trastorno metabólico con aumento de la grasa corporal acumulada, más aumento de peso y se clasifica en diferentes categorías:

- **Sobrepeso:** El Índice de masa corporal (IMC) es de 25,0 a 29.9.
- **Obesidad grado 1:** Es de bajo riesgo y (IMC) oscila entre 30 a 34.9.
- **Obesidad grado II:** Con riesgo moderado (IMC) está entre 35 y 39.9.
- **Obesidad grado III:** De alto riesgo comprendido el (IMC) del 40 en adelante.

Este Índice de Masa Corporal se calcula relacionando el peso con la estatura. Es un indicador de la relación entre la talla y el peso del individuo.

La Obesidad grado 1, puede hacernos propensos a la Diabetes, Hipertensión Arterial, aumento del colesterol y triglicéridos y otras afecciones. Por ello constituye un grupo riesgoso.

Los triglicéridos constituyen un tipo de grasas en el organismo.

El colesterol, no es malo para la salud cuando se encuentra dentro del límite normal pero muy perjudicial en niveles anormales.

El COLESTEROL TOTAL, sus cifras registradas en categorías son:

MG/DL	NIVEL	RIESGO
↓200	Normal	Bajo
200-239	Alto	Alarma
240-o-↑	Muy alto	Mayor

Este colesterol se clasifica en **BUENO (HDL)** alta densidad y **MALO (LDL)** baja densidad.

EL COLESTEROL BUENO (HDL) High Density Protein (proteína de alta densidad), se encarga de la protección de la capa interna de las arterias y así evitar la aparición de enfermedades cardiovasculares y cerebrales.

Los niveles de **HDL** actuales según la Asociación Americana del Corazón:

	BAJOS	RANGO
Mujeres	Menos de 50 mg/dl	De 50 a 60 mg/dl
Hombres	Menos de 40 mg/dl	De 40 a 50 mg/dl

Es preferible que en este tipo HDL sea alto pues favorece la función de protección del interior de los vasos sanguíneos.

COLESTEROL MALO (LDL) de baja densidad, si los niveles son altos, favorece su unión a las paredes de los vasos, contribuyendo a la posible formación de lesiones cardiovasculares.

Estos límites varían personalmente, pueden medirse en diferente escala, y a mayor nivel, habrá mayor riesgo

Niveles de LDL en general

MG/ DL	PREFE RENTE	ACEP TADO	PRE CAU CIÓN	ALTOS	MUY ALTOS
↓ 100	X				
100-129		X			
130-159			X		
160-189				X	
↑ 190					X

El sobrepeso y la obesidad prácticamente se han convertido en una epidemia tanto en niños como en mayores con esas complicaciones metabólicas y pueden producir gota, aumento del ácido úrico, apnea del sueño, disnea, palpitaciones, insuficiencia cardíaca y venosa, trastornos articulatorios por desgaste o degeneración, cáncer de endometrio, mamas, vesícula, útero, y otras. Estas enfermedades que no son transmisibles, se contraen muchas veces por aumento del Índice de Masa Corporal (IMC) y otros.

PREVENCIÓN Y CONDUCTA A SEGUIR

- Realizar exámenes periódicos indicados por su facultativo
- Dieta sana y equilibrada, disminuir la grasa, aumentar la fibra, la actividad física, bajo el control profesional.
- En cuanto al tratamiento hay normas generales a seguir: Así se trata de mejorar la salud en la vida de las personas. Consiste en tener actividad física, buena hidratación, realizar ejercicios de diferentes tipos, caminar, natación, aeróbicos y otros, según las posibilidades.
- Dieta ajustada a cada perfil, aumentando el consumo de frutas, cereales integrales, verduras, que son saludables y contienen menos calorías.

Además, las terapias alternativas, como masajes reductores, drenajes linfáticos, reflexoterapia, balances musculares y energéticos.

Terapia psicológica individual o colectiva para mantener la disciplina en el proceso evolutivo.

Ingerir poca grasa saturada y más fibra, aumentar la actividad física y siempre bajo la supervisión de su facultativo.

Existen infinidad de métodos sugeridos para bajar de peso, y esto depende de la individualidad, ya que todos los organismos independientemente de estar compuestos por los mismos órganos, varían en funcionamiento dependiendo de diferentes causas genéticas o habituales.

La obesidad compromete todos los órganos y sistemas corporales, pudiendo llegar a muchas complicaciones, por ello es sumamente importante, controlar los hábitos en general y acudir a los facultativos necesarios desde el inicio de algunos de los síntomas o signos detectados, y así poder controlarla paulatinamente, pues una vez implantada necesita mucho esfuerzo y sacrificio para recuperarse.

"La cooperación familiar es fundamental en su control".

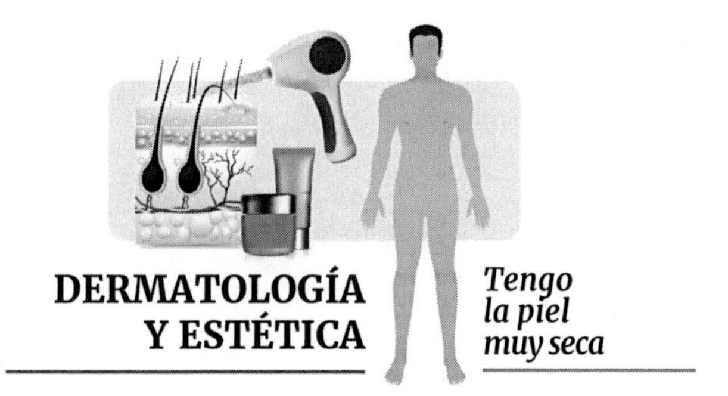

DERMATOLOGÍA Y ESTÉTICA

Tengo la piel muy seca

Mi piel está reseca y salen como escamitas, ¿Por qué?

La piel es considerada el órgano más grande del cuerpo.

En sus características tenemos que la capa interna está siempre en regeneración porque las células se acercan y se cargan de queratina.

Tiene diferentes capas: Epidermis, dermis, película hidrolítica, flexibilidad e impermeabilidad, membrana basal, vello, y tiene capacidad de auto reparación.

Describiendo levemente las capas tenemos que:

1. Epidermis, se restituye cada dos o tres semanas y presenta:
   A. Córnea externa, quebrada, se desprende y tiene células antiguas.
   B. Lúcida, una fila de células planas
   C. Granulosa, gran contenido proteico
   D. Basal, muy elástica
   E. Espinosa. Rodeada de células basales
2. Dermis -Fuerte, gruesa, elástica por la elastina y el colágeno, y contiene las sub capas:
   A. Papilar: En contacto con la epidermis
   B. Reticular: Capa profunda y gruesa.
3. Hipodermis, es un tejido celular subcutáneo, almacena grasa, es un depósito de energía y aislante térmica del cuerpo.
4. Película hidrófila-Compuesta de grasa y agua.
5. Grosor, varía según la ubicación en el cuerpo.
6. Flexibilidad/impermeabilidad, por la elastina de la dermis. Se pierde con los años y aparecen arrugas. Mantiene la permeabilidad en protección del organismo.

7.	Basal, se encuentra la Melanina. Da color a la piel y el cabello, disminuye con el tiempo, apareciendo canas y arrugas.
8.	Vellos, Protección de la temperatura, de los rayos solares, la sudoración. Sentido del tacto.
9.	Fijación del calcio, ante la exposición el sol, producción de vitamina D
10.	Ante lesiones en piel, las células de la hipodermis migran a la superficie para la reparación

La formación de queratina es mayor en manos y piel por las funciones que realizan.

En la piel pueden aparecer diferentes afecciones, simples o complejas y veremos algunos a continuación.

Acné, verrugas, alopecia areata, psoriasis, dermatitis de contacto, eczema, procesos infecciosos variados, bacterianos, fúngicos (hongos), virales, quemaduras, cáncer, impétigo, escabiosis, pie de atleta, tiña, úlceras y otras.

ACNÉ, se presenta como granos de pus que dejan cicatrices. Son más frecuentes en adolescencia, aunque también se encuentran en algunos adultos. Se producen por exceso en la producción de sebo en las glándulas sebáceas de la piel.

ALTERACIONES, como lunares, verrugas, melasma, melanoma, y otras muchas. Además, podemos ver diferentes tipos de manchas, marrones, negras, blancas, rojas, violáceas.

Planas arrugadas, elevadas, grandes o pequeñas. Aparecen en cualquier lugar del cuerpo y especialmente en manos, cuello y cara.

Los cambios climáticos pueden afectar la piel independientemente del lugar donde nos encontremos y la parte corporal expuesta.

CUIDADOS Y PREVENCIÓN

Seleccionar sustancias humectantes, nutritivas, antioxidantes, antialérgicas y reparadoras

En general, podemos tomar algunas medidas como una higiene adecuada, utilizar productos hidratantes, que den elasticidad, firmeza, mejorar el aspecto de los daños por factores ambientales. Aplicar un protector solar de al menos 30 factor de protección actual.

En los codos rugosos, se recomienda en algunos casos crema con urea y no dañar la piel. Alguna para reparación del colágeno, con aloe y otros componentes.

Por otra parte, se encuentran diferentes métodos en cuanto al tratamiento de las afecciones de la piel que son utilizados por los profesionales en su rama.

Se utilizan tratamientos donde se trabaja directamente sobre la piel y son: en la rinoplastia, cirugía de manos, pies y otros lugares del cuerpo, otoplastia, lifting de nalgas, muslos, mamas y otras.

Otros procedimientos utilizados en ciertos casos son Artice Peel, Resurfacing, Microdermoabrasión, Láser, Depilación. Siempre depende del criterio del profesional.

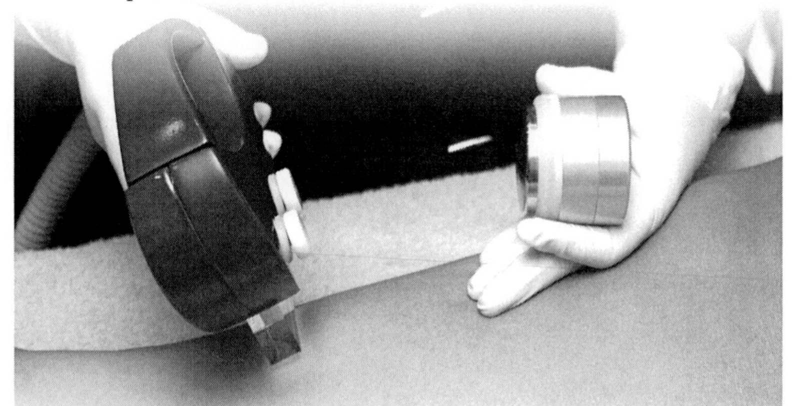

El láser produce rayos luminosos enfocados e intensos, absorbidos por pigmentos oscuros en los folículos y previene el crecimiento del pelo por dos años. El folículo debe estar activo en el momento del tratamiento. A veces existe solo una sensación muy débil, indolora, en estrías, cicatrices, várices, tatuajes y otros.

Tratamientos étnicos teniendo en cuenta las características y morfología étnica.

Para cada persona existe método y sistema a seguir dado que las características son individualizadas.

Para tratar de prevenir algunas afecciones, entre otras cosas podemos seguir alimentación variada y equilibrada en nutrientes, vitaminas, minerales, antioxidantes, aceite de girasol, té verde, brócoli, pipas de calabaza (zinc, Vit. E, magnesio, triptófano,), cacao, frutas y vegetales de diferentes colores, gazpacho, cereales (arroz y pasta integrales que aportan fibra, una hidratación adecuada, buscar equilibrio mental, químico y físico.

- La vitamina E que es liposoluble, se encuentra en semillas de girasol, avellanas, almendras, frutos secos nueces, acelga, brócoli, aguacate y otros.
- Vitamina B: 5,6 Hidrosoluble o (soluble en agua); frutos secos nueces, legumbres, levadura de cerveza.
- ZINC. Ciertos micronutrientes nueces, pistachos, legumbres.
- COBRE; Almendras, frijoles derivados de soja, cacao.
- SELENIO: Ajo, lentejas, nueces, semillas de girasol.
- ANTIOXIDANTES: Frutas y verduras, aceite de aguacate (omega 3, 6, 9, Vit. K y más).
- Miel, humectante natural, fija el agua a la piel, aceite de oliva.

Se debe tener en cuenta las características genéticas, y ambientales.

Recomendamos, ante cualquier afección, la consulta con el profesional.

“El cuidado de la piel debe ser permanente”.

Uñas sanas así

Las **uñas** son estructuras que se encuentran en la punta de los dedos de manos y pies, se forman por células muertas queratinizadas y procesadas por tejido óseo. Tienen diferente forma, además su crecimiento depende de la edad, ejercicios realizados, herencia, la temperatura, hidratación, tratamiento adecuado y otros factores.

Nuestras **uñas** protegen la piel que se encuentra debajo de ellas. Sirven para funciones de rascado y , además de estética por trabajos en salones de belleza y prácticas personales. Por otra parte, son utilizadas en la ejecución de instrumentos musicales y otras prácticas profesionales o no.

Ellas deben mantenerse limpias pues pueden transmitir agentes contaminantes.

Hay diferentes alteraciones en su forma y entre ellas tenemos: laminar, punteada, rota, de cuchara, enterrada, astillada y otras. Algunas alteraciones en su alrededor pueden ser: Padrastro, panadizo, en garra, encarnada y más.

Ahora nos referiremos a una patología algo frecuente como la:

ONICOMICOSIS

Formada por hongos en las uñas, se manifiestan de diferente forma, como una mancha blanca debajo de la uña de las manos o los pies, decoloración, engrosamiento, trastornos del borde y puede afectar varias uñas. Color amarillo, puede afectar la zona interdigital en los pies, por lo que se le suele, llamar ¨**pie de atleta**¨.

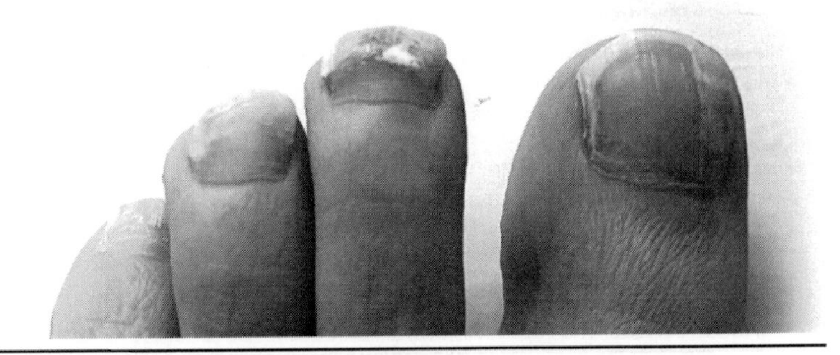

Algunos síntomas y signos:

1. A veces se aprecian frágiles y con descamación.
2. Uña gruesa y amarillenta.
3. Alteración en su forma.
4. Olor desagradable.
5. Cambios de color, amarillo, marrón, negro por residuos debajo de las uñas.
6. Daños en las cutículas.
7. Manchas blancas por granulaciones de queratina en uso excesivo del esmalte.
8. Otras pueden presentar aspectos diferentes.

En cuanto a la frecuencia según la edad, tenemos que:

La onicomicosis, es más frecuente en los mayores, ya que son más frágiles, en ellos disminuye la circulación, además, pueden tener el sistema inmunológico deprimido, no hidratarse adecuadamente aparecen grietas y crecen los hongos.

Hay diferentes factores de riesgo en el deterioro de las uñas:

A. Envejecimiento y disminución de la circulación.
B. Lesiones de la piel, como ejemplo, la Psoriasis.
C. Antecedentes de Pie de atleta.
D. Extrema sudoración de manos y/o pies.
E. Calzado cerrado y poco ventilado.
F. Caminar descalzos en lugares húmedos y poblados.
G. Alguna infección micótica precedente.
H. Calcetines sucios.
I. Uña encarnada.
J. Hongos.
K. Dermatofitos.
L. Moho V.I.H, y otros.

Se encuentran posibles causas de lesión ungueal:

-Las rayadas y quebradizas por golpes, envejecimiento, trastornos digestivos, estrés.

-Rayas Verticales, por falta de hierro-Horizontales, por disminución de vitamina A, calcio, hierro. Depresiones o Líneas de Beau, por golpe en la unión de la uña con la cutícula. Hay unas crestas longitudinales por la edad avanzada que si aparecen de repente se les puede llamar ornicorexis.

Señalamos algunas maneras para evitar lesiones en las uñas:

A. Calcetines de algodón y cambiarlos frecuentemente.
B. Calzado fresco y aireado y además, utilizarlo en zonas públicas y húmedas.
C. Desinfectar instrumentos como alicates y otros.
D. Asistir a centros de cuidado personal de credibilidad y sistema de desinfección adecuado.
E. Valorar y seleccionar muy bien la calidad del esmalte de uñas y si utilizan uñas postizas.
F. Observar el interior de los dedos.
G. Conservar la cutícula en buen estado para evitar entrada de bacterias y hongos.
H. Impedir rotura de uña por exposición al agua o productos químicos.

En general, es necesario mantener un régimen alimentario lo más adecuado posible para tratar de conservar la salud en las mejores condiciones desde el punto de vista individual.

Ingesta balanceada, suplementos, secar bien las manos y pies, aplicar loción hidratante. Ingerir frutas, vegetales, buena hidratación, ejercitarse, seguir un sistema general, acorde con las necesidades nutricionales individuales.

El tratamiento médico puede variar entre el tratamiento oral, tópico, quirúrgico o el que se determine. existe el láser, la terapia fotodinámica, cirugía, medicamentos. Desde antaño se utilizan procedimientos caseros a base de sustancias naturales de fácil acceso.

“Unas uñas saludables, ejemplo de buena salud”.

Verrugas

Dentro de las numerosas lesiones dermatológicas, una muy frecuente es **LA VERRUGA**. Estas son formaciones, de aspecto redondeado, ovalado o filiforme, en racimos o planas que aparecen en su superficie.

También pueden aparecer en las mucosas que son las que cubren las cavidades. Estas verrugas, suelen tener el mismo color del tejido, o ser rosadas, marrón, sensitivamente indoloras, a veces presentan cierto picor y quizás sangran según su característica y después de algún roce o rascado.

La causa principal de su aparición, se destina a una infección por una variante del Virus del Papiloma Humano (HPV), del que existen muchas. Además están las que se refieren como aparecidas por resistencia a la Insulina y más.

Las verrugas comunes pueden aparecer en dedos, manos, cara, cuero cabelludo y resto del cuerpo. Su aspecto puede ser plano, elevado, la superficie lisa o rugosa. Trasmitirse directamente o por medio de diferentes objetos de uso personal.

Se encuentran en la zona sub-ungueal y para-ungueal (debajo o alrededor de las uñas).

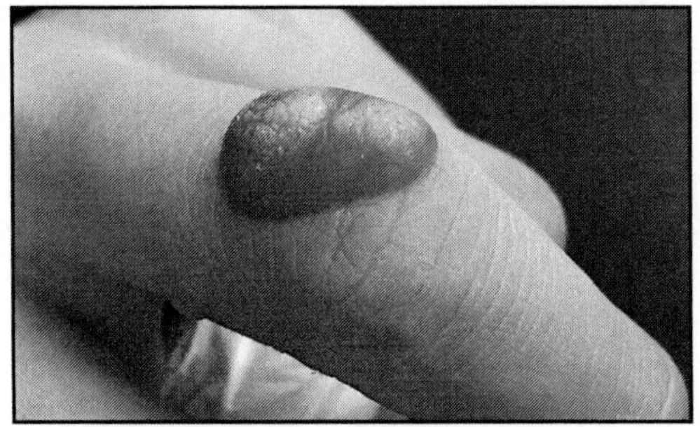

Verruga en dedos.

Otras pueden aparecer en zona genital tanto en hombres como en mujeres y de localización entre los muslos, glande, prepucio, vagina, labios menores o mayores, cuello uterino, además en zona anal y sus alrededores.

En la zona de la cara y frente, pueden ser planas, comunes, pequeñas, filiformes, rosadas, marrones, pudieran manifestar picazón en algunos casos. Pueden agruparse y aparecer en forma de mosaico. A nivel del cuello a veces aparecen los llamados acordeones, fibromas pendulares, prolongaciones de piel conocidas como, fibromas blandos, queratosis seborreica.

Estos acordeones se ubican en axilas, párpados, tórax, cerca de genitales y donde existan pliegues y arrugas. También se refiere que pueden aparecer por resistencia a la Insulina.

El tratamiento depende del tipo de lesión, su ubicación y otras características individuales en la piel. No es recomendable cortarlas, ni utilizar sustancias corrosivas o quemantes que puedan dañarlas y afectar la piel circundante.

En algunas de ellas pueden encontrarse algún tipo de transformación que necesite cuidado especial, y debe valorarse con un profesional en la materia.

En cuanto al seguimiento de esta afección , se establecen métodos de tratamiento.

Estos son, la aplicación de cremas retinoide, cantaridina, queratolisis, la crioterapia, electrocoagulación, láser, ligadura, cirugía, y otros, dependiendo de la situación. Teniendo en cuenta, además, en no compartir utensilios de uso personal y especial cuidado en evitar su propagación.

Es de suma importancia ingestión de agua, frutas, vegetales en buenas condiciones de limpieza, el tipo de alimentación que se recomienda sea baja en grasas y alimentos procesados, eliminar los excesos, ejercitarse y utilizar las medidas correspondientes a cada persona para evitar el exceso de residuos tóxicos en el sistema.

Desde hace mucho tiempo se han utilizado procedimientos naturales o complementarios, con cierta efectividad. **Entre ellos están la leche de la planta Diente de León, Aceite del Árbol de Té, Vitamina C pura, Aceite de ajo, Vinagre de Sidra de manzana, ajo, limón, algodoncillo y otros más**, siguiendo orientaciones de su profesional de la salud.

"Al apreciar alguna verruga, debe plantearse una consulta con el profesional.".

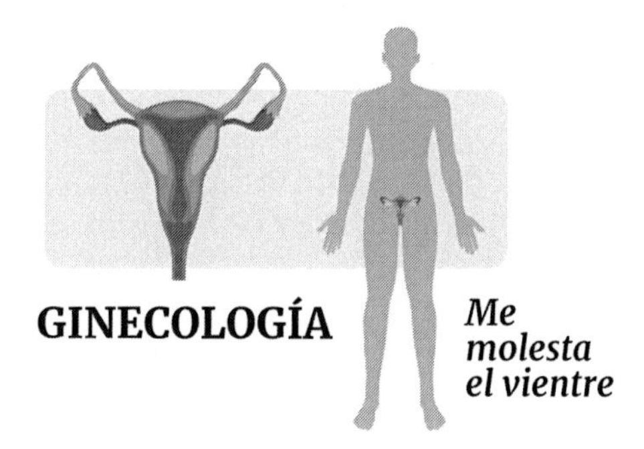

En ocasiones presento molestias en el vientre al caminar y sentarme, ¿Por qué?

Existen múltiples causas de dolor a nivel del vientre, como: digestivas, posturales, inflamatorias o no, y a veces se acompañan de patologías específicas. En este caso, nos referimos a inflamaciones pélvicas que en ocasiones se producen por trasmisión sexual. Es un tema muy amplio e interesante.

Mencionaremos a La Anexitis, Vaginitis, algunas causas etc.

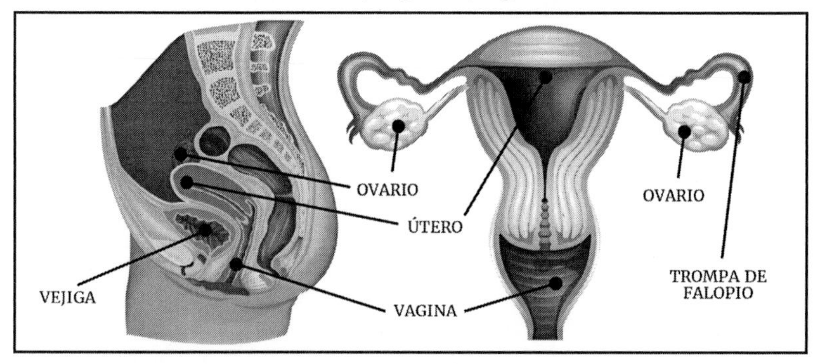

La **ANEXITIS** es una inflamación de los anejos del útero, ovarios, Trompas de Falopio y puede ser específica o inespecífica, aguda o crónica.

ESPECÍFICA O INESPECÍFICA

Específica: Sífilis, Gonorrea, Tuberculosis, Clamidia y otras.

Inespecífica: producida por ciertos gérmenes, estreñimiento, adherencias, *La aguda* presenta dolor, flujo, fuerte malestar a nivel del vientre.

La crónica aqueja dolor leve pero constante, al igual que el flujo. A veces es causada por pelviperitonitis, endometriosis u otras lesiones cercanas.

Frecuentes agentes causantes son, la Candidiasis, Parasitosis, Gonorrea, Clamidia y otras. Bacterianas, Parasitarias, Fúngicas.

Por otra parte, la **VAGINITIS** es una inflamación en la vagina que puede deberse igualmente, a varias causas. Entendiendo por ello (la vulva, parte externa de los genitales, entre los labios y clítoris, la abertura vaginal y el orificio uretral.

CANDIDIASIS VAGINAL

La Candidiasis, proveniente de la Cándida Albicans, se produce por este hongo que funciona en la digestión de los azúcares por medio de la fermentación, y se encuentra en la flora orofaríngea, gastrointestinal, y vaginal.

Aumenta ante los cambios de PH (que es, la relación entre la alcalinidad y la acidez), la utilización de algunos corticosteroides, excesivo uso de antibióticos de amplio espectro, por la utilización de anticonceptivos orales, en la Diabetes, embarazo, y otras causas. Además, existen situaciones o hábitos que trastornan el equilibrio de la flora vaginal.

La Candidiasis Vaginal no se considera una enfermedad de transmisión sexual, puede aparecer a cualquier edad y tener un comienzo agudo. Con síntomas como prurito o picazón, flujo blanquecino y disuria.

Generalmente toma mayor fuerza cuando el Ph es muy ácido.

TRICHOMONIASIS

La Trichomonas es un parásito que puede presentarse en el tracto urogenital de humanos de cualquier sexo. Se considera causante de enfermedad de trasmisión sexual más frecuente y no es viral, muchas veces es desconocida su presencia en los infectados. El tiempo de incubación es entre 7 y 21 días, al principio sin síntomas que aparecen posteriormente.

Las lesiones en la mujer aparecen mayormente en la vulva, vagina y uretra. A veces se ubican úlceras en uretra y vagina. En los hombres en la uretra mayormente.

Síntomas en los hombres: secreción por la uretra, picazón, ardor después del coito u orinar. En la mujer, mal olor en flujo vaginal, dolor en las relaciones sexuales, ardor al orinar.

VIRUS DEL PAPILOMA HUMANO (VPH o HPV)

Condiloma, Condiloma Acuminado. Verruga venérea, Verruga Blanda Genital, Enfermedad Viral de la Piel, Verruga del pene y otros.

Los condilomas son como racimos o no, ásperos, rugosos, que tienden a desarrollarse en zonas húmedas. En el hombre, las lesiones pueden ser más pequeñas que en las mujeres.

Ellos se forman por el virus del papiloma humano produciendo verrugas en la piel, membrana mucosa de la región del ano y recto.

El DIAGNÓSTICO del VPH es muy importante pues puede catalogarse como **precancerosa**.

Entre sus síntomas encontramos:

1. Verrugas en genitales.
2. Verrugas anales.
3. Prurito, en la zona.
4. Lesión coloreada.
5. Flujo blanquecino que puede aumentar.
6. Después del coito puede existir sangrado vaginal.
7. Imagen de coliflor en región vaginal o anal.

En ocasiones llegan al cuello del útero y vagina, son visibles y algunas planas.

Encontramos POSIBLES CAUSAS en la transmisión de estas personas:

- La actividad sexual es altamente importante en la aparición de estas afecciones.
- El sexo en los muy jóvenes, sin experiencia ni protección.
- Actividad sexual promiscua en ambos sexos, higiene defectuosa, poca información al respecto.
- Además puede ser trasmitido por el canal del parto a la criatura.

RECOMENDACIONES

Practicar la monogamia para evitar la enfermedad y otras enfermedades trasmisibles sexualmente. Además:

a. Mantener una higiene adecuada.
b. Adquirir suficiente información respecto al tema.
c. Ser crítico al escoger pareja, aunque sea difícil en ocasiones.
d. Utilizar las medidas de protección local existentes, así como barreras de látex bucales.
e. Vacunación de ambos.
f. Con diagnóstico adecuado a tiempo, puede mantenerse bajo control.
g. En momentos podría ser necesaria la abstinencia, si es posible.
h. Existen algunos cánceres que se relacionan con VPH y que mencionaremos en el cuadro siguiente.

En este cuadro se reflejan los datos sobre algunos de los cánceres que se relacionan con VPH:

- **Cáncer orofaríngeo (boca y garganta):** Se presenta, a veces, en casos de sexo oral o bucal sin protección. Aparecen lesiones en la parte posterior de la garganta. Más frecuente en hombres que ingieren mucho alcohol, y cigarrillos. Pueden presentar, llaga en la boca que no sana, dolor de garganta permanente al masticar y tragar, cambios en la voz, bulto en el cuello, molestias en la mandíbula.
- **Cáncer vaginal:** El 70% de los casos es el Papiloma Virus, es más frecuente en la mujer hispanoamericana, de la raza negra y mayor de sesenta años. Al principio es asintomática, más jóvenes puede presentar sangrado entre las menstruaciones y relacionada con el coito.
- **Cáncer de vulva:** Constituye el 4% de los cánceres ginecológicos, aparece generalmente en los labios mayores en la mujer, sobre todo de edad avanzada. Puede ser en forma de nódulo, úlcera con picazón ardor al orinar (disuria).
- **Cáncer cérvico uterino:** Se dice que el 85% aproximadamente presenta características de Papiloma y el 100% son invasores.

Las afecciones pélvicas, con sus causas específicas, inespecíficas, agudas o crónicas y sus complicaciones por manipulaciones, DIU, grupo etario 20-30 años, poca higiene, infecciones regionales asociadas le indican realizar la visita a su facultativo.

Mujer - maternidad - sociedad

El Día de las Madres es una celebración de carácter Mundial y se festeja en diferentes fechas, según el país en cuestión.

En la antigua Grecia se rendían honores a Rea, madre de los dioses Poseidón, Hades y Zeus. Los romanos celebraban La Hilaria, en el templo de Cibeles los 15 de marzo.

El cristianismo Honra a la virgen María, madre de Jesús, y el Santoral Católico celebra el día 8 de diciembre la fiesta de la Inmaculada Concepción, fecha que los católicos adoptaron para la celebración y en 1854, quedó definido por el papa Pio IX como dogma de fe para la iglesia universal

Julia Ward Howe.

En Inglaterra en el siglo XVII, se realizaron actividades con la misma intención.

Ya en la época contemporánea, en 1870, **Julia Ward Howe**, estadounidense fue la primera mujer elegida para la Academia Estadounidense de las Artes y las Letras y fue la que realizó la proclama para de Día de la Madre.

Ann María Reeves Jarvis, activista social y luchadora por la importancia de la mujer en la sociedad, y su hija **Anna Jarvis** fueron reconocidas como las fundadoras del **Día de las Madres en Estados Unidos** lo que posteriormente se extendió y generalizó en 1907 por acción de su hija (que no tuvo descendencia), después del fallecimiento de ésta. Se distinguieron por la tenacidad en el reconocimiento de los valores de las mujeres y madres.

FUNDADORAS DÍA DE LAS MADRES - U.S.A.
Anna María Reeves Jarvis y Anna Jarvis (Hija)

Estas acciones persisten en la actualidad por medio de organizaciones y ejemplos personales de tantas mujeres y madres distinguidas mundialmente.

Hay mujeres y madres que ocupan casi todas las profesiones, artes y oficios alrededor del mundo logrando éxitos y reconocimientos privados y públicos a través de los años de acuerdo a sus posibilidades.

Una facultad que tiene la mujer es la de ser madre tanto natural como adoptiva, tía, abuela, hermana y buscar alternativas para que de alguna buena forma sus hijos logren desarrollo según las situaciones, y a veces, contando con ayuda de familias, centros de cuidados, instituciones gubernamentales que se han instaurado a ese fin, en tiempos modernos.

Tan inmensas y bellas son las posibilidades de las madres que se pueden apreciar en la cantidad poblacional mundial, independientemente de la forma y manera lograda.

Es muy interesante la **concepción** en el ser humano que es el acto en el cual la mujer queda fecundada, cuando las células masculinas y femeninas se unen para dar vida a otro ser.

Después del coito, o acto sexual, si el encuentro entre las células se produce, al pasar unos días, la mujer puede presentar algunos **síntomas y signos** representativos de embarazo.

1. Orinar frecuentemente.
2. Sangrado vaginal.
3. Algunos antojos.
4. Inflamación de las mamas.
5. Cambios de humor.
6. Náuseas, vómitos y otros trastornos.

La prueba de embarazo, es fiable y detectable en test de orina al amanecer y encontrar aumento de la hormona **Gonadotropina Coriónica**. Debe tener precaución si se analiza recién el parto o aborto donde todavía está aumentada y suele estar baja a los pocos días de la relación. En algunos países existe la posibilidad del aborto desde el punto de vista legal y es su decisión continuarlo, pero en otros es ilegal.

En ginecología se pueden incluir diferentes pruebas según las necesidades individuales de las pacientes, examen de sangre, orina, ecografía transvaginal, u otra necesaria.

La fecha de gestación puede confirmarse, además, independiente de la tardanza de la menstruación con: Análisis Cuantitativo de Gonadotropina. En caso que no se logre embarazo, la reproducción asistida es un método a utilizar en algunas pacientes. Si no se logra, puede orientarse técnicas sencillas.

Igualmente, existen métodos artificiales de **baja** complejidad, como la inseminación en vivo, o de **alta** complejidad que sería in vitro a nivel de laboratorio.

Asimismo, hacer la del diagnóstico preimplantacional o la crioconservación de embrión. En fin, la que su doctor considere necesaria y cuente con su aprobación, según lo establecido.

Cuando el óvulo no realiza un recorrido competo y queda implantado en otro lugar, es más frecuente (95%) en la trompa de Falopio que se encuentra entre el útero y el ovario. Este embarazo es llamado ectópico, tubárico ó extrauterino.

Es de riesgo, pues generalmente produce dolor y otros malestares, con posibilidad de provocar aborto o hay que hacer la extracción ya que ahí no puede desarrollarse el feto.

Esta y otras son las dificultades que pueden presentar las embarazadas con la ilusión de tener un parto feliz.

No obstante, se enfrenta a ello y muchas dificultades más para conseguir sus fines.

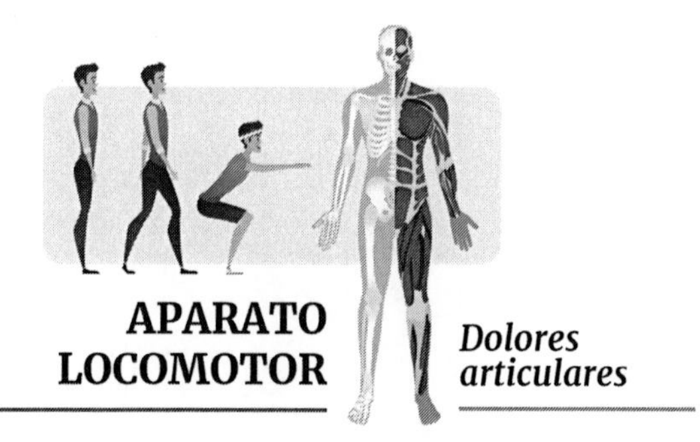

APARATO LOCOMOTOR

Dolores articulares

Conocemos sobre millones de personas que padecen de inflamación y dolor articular localizado o en una o varias articulaciones.

Esas tienen diferentes causas, síntomas y signos, lo que lleva seguir varias conductas y tratamiento.

A veces depende de la misma articulación y en otras oportunidades, a enfermedades asociadas por lo que debemos estar atentos a los síntomas y signos, y cuando sea pertinente acudir al facultativo para realizar un diagnóstico precoz y así determinar las causas para evitar complicaciones.

Las **ARTICULACIONES** se componen de la interrelación entre dos huesos separados por cartílago y membrana sinovial.

En todas existen nervios, venas, arteras, capilares, vasos linfáticos y más.

El extremo del hueso se cubre de cartílago que actúa como amortiguador y al mismo tiempo entre estos, se encuentra la membrana sinovial que favorece el deslizamiento entre ellos.

Esto favorece el movimiento lógico de cada articulación y la función característica de flexión, extensión, hiperextensión, aducción, abducción, rotación lateral, medial, supinación y pronación de ellas. Según la referida.

Los síntomas inflamatorios, suelen aparecer en rodillas, cuello, hombros, caderas, tobillos y otras articulaciones, produciendo dolor, limitación en los movimientos que puede generarse por utilización excesiva de ellas como en algún traumatismo, deporte o profesión y movimientos bruscos o repetitivos.

Unos términos muy utilizados son **ARTRITIS Y ARTROSIS**, y son muy frecuentes a nivel mundial, aunque existen otros.

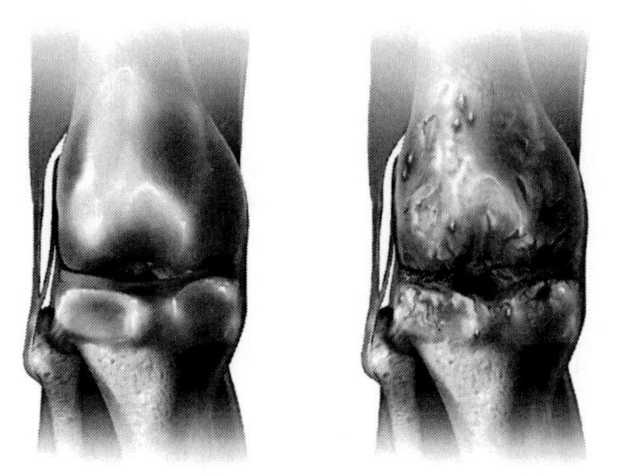

Una articulación sana y otra con artritis.

Aparentemente estos dos términos, parecen iguales, pero no lo son de acuerdo a ciertas características existentes en ambas y nos referiremos a algunas de ellas:

La **ARTRITIS** es una enfermedad inflamatoria que puede tomar una o varias articulaciones y se caracteriza en general por, dolor mantenido, inflamación, limitación en los movimientos llevando a destrucción articular.

Además, depende de diferentes causas y algunas de ellas son: enfermedades reumáticas, traumatismos, inflamaciones variadas, trastornos inmunológicos, movimientos repetitivos, bruscos y más. Existe inflamación de la membrana sinovial que rodea las articulaciones.

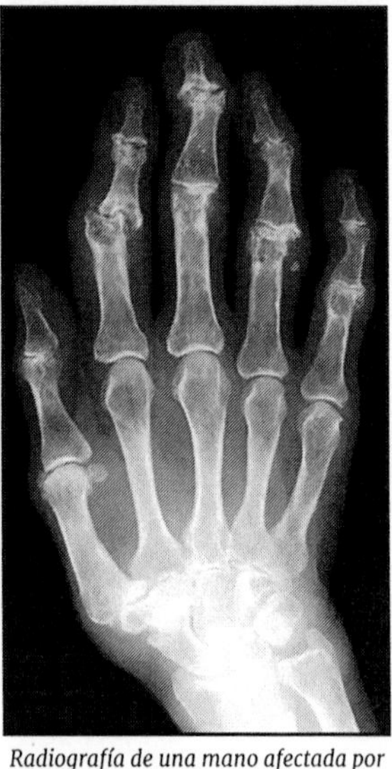

Radiografía de una mano afectada por artrosis.

La **ARTROSIS**, es una enfermedad que ocurre a nivel de la articulación, por desgaste de la membrana sinovial que se debilita, y al degenerarse, además, el cartílago, lleva a un roce entre ambos huesos de la articulación, produciendo dolor que en esta se manifiesta mayormente en los movimientos y en reposo suele aliviarse.

Se presenta en ambos sexos, en las mujeres más o menos de 45 años y hombres mayores de 60 años.

En ambos, artritis y artrosis, el exceso de peso es considerado como causa importante.

ALGUNAS DIFERENCIAS

La **artritis** es más frecuente en personas jóvenes, con dolor persistente por la inflamación, su tratamiento es más complicado y la degeneración más rápida.

La **artrosis** se puede presentar en más personas, hay menos inflamación, el dolor es de tipo mecánico por el movimiento y no en reposo, hay desgaste progresivo y lento y su evolución es de años.

Existen otras múltiples afecciones que pueden provocar dolores articulares de diferente tipo y mencionaremos algunas de ellas, como son: Artritis Reumatoidea, Eritema Nodoso, Virus Mayaro, Fiebre Botonosa Mediterránea, Denosumab, Tifus Murino, Escarlatina, Displasia Epifisaria que lleva a la artrosis, sinovitis, lupus eritematoso, gota, espondilartrosis, infecciones bacterianas, virales, micóticas , y muchas más.

En la **artritis**, el tratamiento depende del agente causal y debe diagnosticarse desde el inicio para evitar complicaciones como destrucción de la articulación y mayor limitación. Resultan eficaces los ejercicios de resistencia acuática en algunos casos, pero esto depende del criterio individual del profesional a su cargo.

La **artrosis**, hasta el momento se refieren como útiles, los calmantes, antiinflamatorios y en ocasiones se indica ejercicios de resistencia acuática que mejora la salud del cartílago, la capacidad aeróbica y más. Lo más importante son las medidas generales impuestas por su facultativo. Ambas presentan limitación en movimientos, preferentemente en las mañanas.

El tratamiento se dirige a mejorar la investigación, facilitar la movilidad, la estabilidad, la fuerza muscular, la densidad ósea, disminuir el dolor, inflamación y la depresión subsecuente.

Hay medios para tratar a estos pacientes, con medicamentos, la fisioterapia, cirugía, alineación, osteotomía, prótesis en casos necesarios y más. La Quiropráxia, ejercicios, kinesiología, masaje terapéutico, relajante, meditación, yoga, pueden complementar en muchos casos de acuerdo con su profesional.

“La movilidad diaria es importante para tener buena circulación”.

No puedo caminar

Los pies constituyen parte muy importante en el cuerpo ya que le proveen sostén, activan la circulación de retorno, nos permiten realizar determinados movimientos, la biomecánica corporal, acción del punto de impacto, entre otras cosas.

Se articulan con la Tibia y el Peroné, que soportan el peso, ellos, constan de varias partes y todas importantes. En su estructura tenemos, huesos, cartílagos, músculos, tendones, ligamentos, vasos sanguineos y linfáticos, nervios...

Desde el punto de vista óseo tenemos en la parte posterior:

- Tarso (calcáneo, astrágalo, cuboides, navicular, primer cuneiforme, segundo cuneiforme, tercer cuneiforme).
- Metatarso (del primer al quinto metatarsiano del interior al exterior).
- Dedos con tres falanges, menos el gordo, que tiene dos). Todo ello cubierto por las diferentes estructuras.

Respecto a las diferentes afecciones a presentar en los pies, tenemos muchas que varían según la causa, y otros detalles.

Unas, pueden ser, deformidades genéticas y mala postura, tendinitis peroneal (molestias laterales externas), artrosis, artritis, otra deformidad articular, Neuroma de Morton, callosidades, inflamaciones, durezas. Fascitis plantar, Metatarsalgia, Bloqueo Biomecánico, entre otras.

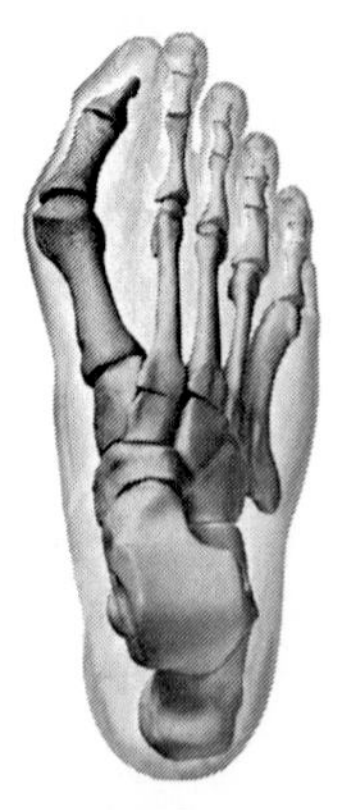

Radiografía de un juanete.

MUY IMPORTANTE LA POSIBLE INTOXICACIÓN EN LOS TEJIDOS

Hay otras causas importantes de dolores en los pies. En este momento recordaremos al **JUANETE O BUNION**.

Es una afección frecuente y principalmente en las mujeres por el uso de tacones altos y quizás otras condiciones personales. Hallux (dedo gordo), Valgus (hacia afuera).

En ella, hay una desviación de la articulación del dedo gordo hacia afuera y parte de él descansa sobre el segundo dedo y progresivamente crea deformidad en este, aumentando la desviación, se crea un bulto calloso que aumenta la molestia.

El juanete de sastre, taylor's bunion o Bunionette se formaba pues algunos sastres cosían sentados en el suelo y el roce de ese dedo con el piso, le formaba dicho juanete.

Existen causas frecuentes en la producción del JUANETE común, como:

- Calzado no adecuado que limite el movimiento de los dedos.
- Trastorno estructural del pie que afecte la mecánica al caminar.
- El segundo dedo del pie, mucho más largo que los demás, llamado: DEDO EGIPCIO.
- Posible causa genética.
- Uso indiscriminado de tacones altos ajustados y con punta afilada.
- Enfermedades asociadas como la artritis reumatoide u otras.
- Pie plano o cavo

Puede desencadenarse a cualquier edad y sobre los cuarenta (40) años, aunque puede aparecer en jóvenes y no presentar muchas molestias.

Son variados los **SÍNTOMAS Y SIGNOS** que presentan, como:

- Aparición de bulto en la parte externa del dedo gordo, doloroso, enrojecido, inflamado. Con endurecimiento y/o callosidad.
- Limitación en movimiento, entumecimiento, ardor y dolor.

Otros dedos inflamados y deformados por la presión del dedo gordo y pasan a tomar forma de garra. Ello indica que debe atenderse prioritariamente antes de aparecer las complicaciones y molestias.

EL DIAGNÓSTICO EN ESTE CASO ES SENCILLO

- Realizar el examen físico sobre movilidad desviaciones, estado de la piel. Entrevista según antecedentes, estado físico, antecedentes familiares, hábitos de vida y otros.
- Analítica en busca de **INTOXICACIÓN DE LOS TEJIDOS**.
- Rayos X si es necesario según el criterio profesional.

EN CUANTO A ALGUNOS CONSEJOS PODEMOS MENCIONAR

- Mejorar hábitos alimenticios y eliminatorios.
- Utilizar calzado apropiado, disminuir o evitarlo con tacón muy alto, ajustado y afilado, o probar una talla mayor.
- Poner hielo en el lugar del juanete para bajar la inflamación y el dolor.
- Poner separadamente los dedos de los pies, caminar descalzo en la arena, ejercicios de estiramiento, separar y recoger los dedos para obtener mayor flexibilidad.
- Visitar a su facultativo para una correcta evaluación.
- Evitar las actividades que puedan ocasionar dolor o deformidad. Masajes en la planta y dedos de los piés.

Los pies tienen gran importancia, sostienen la estructura corporal, por lo que sus alteraciones repercuten aguda o crónicamente en el organismo. Ante situaciones corporales incómodas, se debe visitar a su profesional en busca de un posible alineamiento corporal.

"Los pies son la base de sustentación del cuerpo y, como tal, deben ser tratados".

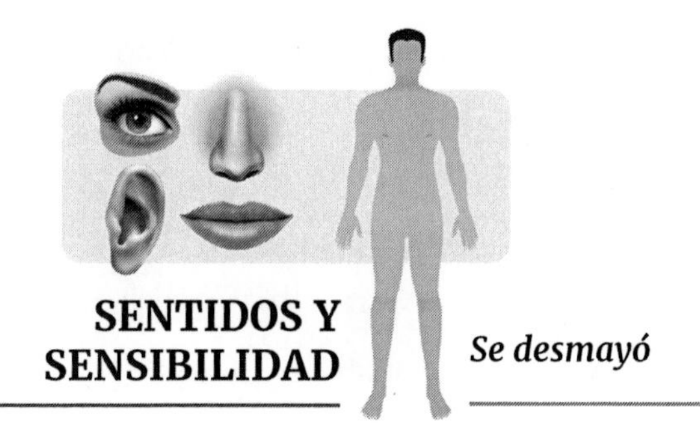

SENTIDOS Y SENSIBILIDAD

Se desmayó

V*ió que iban a inyectar a alguien y se desmayó.¿Cual es la causa?*

Existen innumerables causas de estos desmayos, ya que hay muchas situaciones que pueden producirlo, pero la más frecuente es el Síncope Vasovagal de tipo reflejo, que tiene lugar por un desajuste en el funcionamiento del Sistema Nervioso Autónomo que se compone del Sistema Simpático y Parasimpático.

Este Sistema Nervioso Autónomo, como su nombre indica, funciona de manera independiente de nuestra voluntad y control, dirigiendo las funciones internas del organismo, como, la respiración, la circulación, hormonales, digestivas y otras, balanceando las reacciones del individuo con el medio que le rodea.

En estos casos, por estimulación del Nervio Vago, y el desajuste del Sistema Nervioso Autónomo, se produce una caída de la tensión arterial y una bradicardia, con dilatación de los vasos sanguíneos y la persona cae bruscamente.

En este Síncope Vasovagal, llega menos sangre al cerebro y se produce el desmayo. Por ejemplo, toser fuerte, orinar demasiado, defecar con esfuerzo, diuréticos, así como ante un aumento en la contracción del músculo cardíaco y en personas con gran carga venosa.

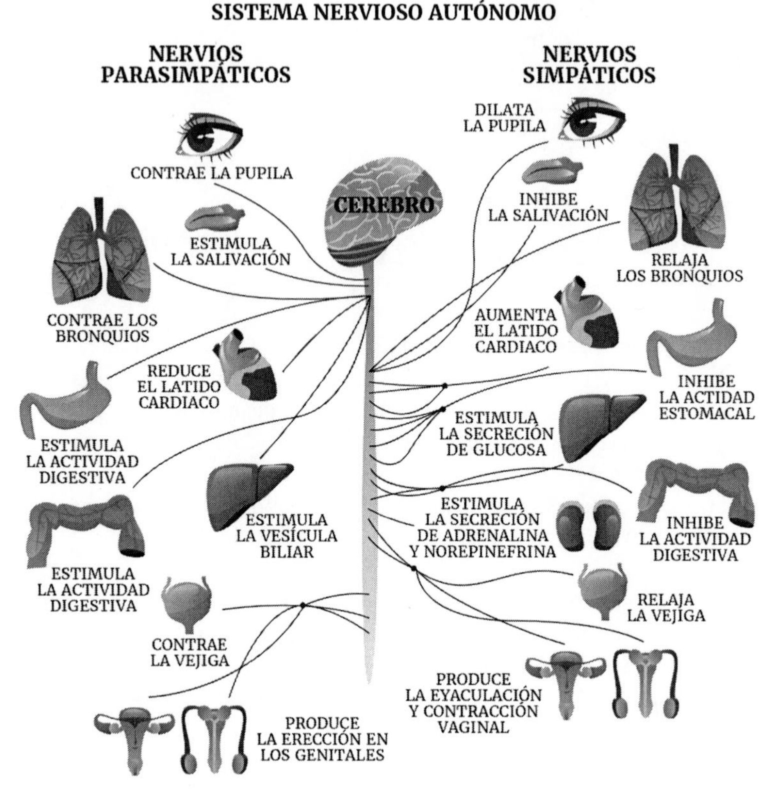

En situaciones normales ambos sistemas Simpático y Parasimpático, trabajan coordinadamente ya que al activarse uno, se relaja el otro y viceversa, manteniendo el equilibrio funcional de los órganos en cuestión y, por ende, de todo el Sistema.

Lo relaciono como unidad existente entre el embrague de un vehículo de motor y el acelerador o el freno del mismo. Cuando el mecanismo se realiza fuera de la zona de fricción del embrague, el vehículo se ¨cala, apaga o muere¨. Tiene que existir una estrecha relación entre ellos, una perfecta coordinación para poder continuar la marcha.

Al fallar la coordinación en este mecanismo del Sistema Nervioso Autónomo en la persona, se produce: ansiedad, temor, sudoración y hasta desmayos en situaciones de estrés. Ej. situación imprevista, al ver la aguja de jeringuilla, en una gestión de importancia, y otros.

Al ocurrir esto puede haber una descarga simpática con: aceleración del pulso, trastorno de la presión sanguínea, aumento del trabajo cardíaco y esto, a su vez, aumenta la resistencia de los vasos sanguíneos.

Por esta razón, la persona puede presentar: palidez, sudoración, temblores, y provoca, en ocasiones, un fallo circulatorio.

La mayor parte de las veces, se presenta en personas con el corazón sano y es más frecuente en mujeres que en hombres, también en adolescentes de ambos sexos incluso al faltarle su móvil o celular y desarrollan cierto grado de ansiedad.

Otras de las características de este Síndrome Vasovagal tenemos:
Debilidad, Mareos, Vértigos, tinitus o acúfenos, pérdida de conciencia transitoria.

La presión sistólica, puede disminuir al mínimo, además, presentar vómitos, diarrea, dilatación de la pupila, escalofríos, desorientación y otros más.

Entre las causas posibles del Síncope Vasovagal, podemos encontrar:

Tumor, trauma físico o emocional, alta temperatura, depresión, ansiedad, alergias, sobre ingestas, trastornos auditivos, visuales, en ayunos prolongados.

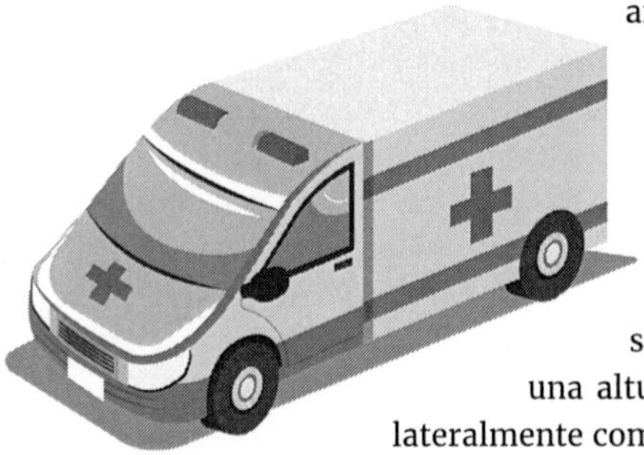

Más causas posibles pueden ser, algunos cambios bruscos de posición, mucho tiempo en una forma o manera, sentado, de pie, acostado, mirando a una altura y cae al cambiar rápidamente tanto lateralmente como hacia delante o atrás.

Existen ciertos ejercicios abdominales, con cambios bruscos de posición que pueden afectar si no se realizan correctamente.

Algunos dolores, vómitos, mareos, trastornos de la glicemia y presión arterial, toser fuerte y bruscamente.

La Inhalación de ciertos olores fuertes debemos evitarla ya que pueden

deprimir el centro respiratorio y caer bruscamente con pérdida de conciencia.
En situaciones de deshidratación, ingesta de alcohol, consumo de drogas, fumar y otras.

Es sumamente importante atender y apoyar a las personas pusilánimes, que tienden a presentar estos síntomas y signos de aprehensión, dependencia emocional, timidez, ansiedad, inseguridad, anorexia, bulimia y otras que afectan el equilibrio personal, mejorando su auto estima, con ayuda integral y con personal profesional adecuado.

PREVENCIÓN Y AYUDA

Dentro de algunas referencias de ayuda tenemos las que comentamos a continuación y **otras muchas de acuerdo al criterio del personal profesional que se encuentre a su cuidado**.

Debemos dormir lo suficiente de acuerdo a las necesidades lógicas individuales, es útil la práctica de la reflexoterapia, tener una higiene adecuada y relajante.

Dentro de los hábitos cotidianos tenemos que mencionar con importancia: Una Alimentación sana, equilibrada y bien dosificada. Incluyendo el balance nutritivo necesario, de acuerdo a su biotipo. Muy importante las frutas, los vegetales, fibra, hidratación y seguir las orientaciones de acuerdo a sus características personales.

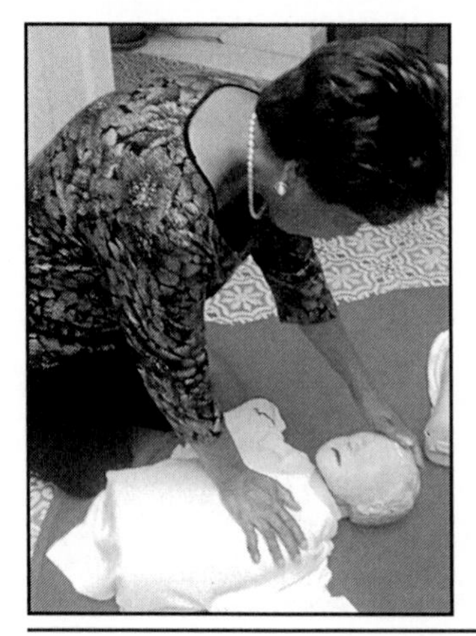

Siempre es recomendable acudir a su facultativo a fin de descartar alguna causa orgánica y tener en cuenta la revisión de los buenos hábitos de vida en busca del equilibrio mental, físico y químico del organismo que es sumamente importante para el afectado, la familia y allegados.

Ante una persona con un Síndrome Vasovagal se debe acercar rápidamente y con **PRECAUCIÓN** para ayudar y solicitar cooperación de los presentes llamando a los servicios de emergencia si es necesario.

Si tiene conocimientos sobre los primeros auxilios, pedir ayuda, valorar la respiración, conciencia y circulación, poner en posición de defensa con cabeza algo baja, mantener tibio, actuar siempre que no provoque daños adicionales. Esperar la llegada de los servicios de emergencia, acompañarle hasta que lleguen e informarles. Siempre evitando crear dificultades.

Podemos tener en mente que ante muchas de estas situaciones apreciamos que **se recuperan en pocos minutos**.

Por ello la persona impresionada tuvo una incoordinación del Sistema Nervioso Autónomo al ver la jeringuilla sufrió el síncope que duró pocos minutos.

Recomendar al accidentado que posteriormente acuda a su facultativo para los estudios pertinentes.

"Es importante mantener equilibrio mental, físico y emocional".

Las manos y algunas de sus propiedades

Me preocupa que frecuentemente presento ciertas molestias, en general y pienso que cuido bien de mi salud, ¿Por qué será?

A veces, sucede que no damos importancia a nuestro cuerpo, lo atendemos todo, pero nos quedamos para último lugar. Al pasar el tiempo, nos encontramos con un sin número de afecciones y no sabemos cómo se produjeron. Entonces nos asombramos y decimos ¿por qué a mí?

Seguramente nos hemos descuidado en las medidas sencillas que debemos practicar y que se convierten en buenos hábitos de vida.

Según muchas enfermedades comienzan por la nariz, la boca, el estrés, malos hábitos de vida, disfunciones orgánicas, trastornos genéticos y más, hay una parte fundamental de nuestro cuerpo que resulta causante de gran número de enfermedades y esa parte corresponde a **LAS MANOS**.

Entendemos que existen tipos de lenguaje como: **Verbal y no verbal**, y tenemos que en la **verbal** intervienen órganos y sistemas con los cuales podemos formar un sonido a nivel de las cuerdas vocales y que por medio de otros elementos se convierte en voz y habla.

Es un mecanismo complejo que podremos abordar en otra ocasión.

En **el no verbal** que es que nos ocupa, participan varios aspectos como son: la mirada ya sea fija o extraviada, movimientos de los labios, entrecejo, rictus faciales, cuello, tocar la nariz, la cabeza, ojos, carraspeo, movimientos corporales erráticos, guiños, silbidos, forma de caminar o sentarse, limpiar la garganta y muchos más.

Además, **es muy importante el comportamiento y cuidado de las manos, como relataremos más adelante**.

Otro punto de vista están las señales **no verbales** establecidas como las de humo, del tráfico, sirenas, bocinas, banderas, fuegos artificiales, y otras muchas implantadas o no, con las cuales podemos identificar determinadas situaciones en la vida cotidiana.

AHORA PASAREMOS A UNA PARTE IMPORTANTE EN LA APARICIÓN DE ENFERMEDADES, Y SON LAS MANOS

Pertenecen a la comunicación **NO VERBAL.**

El cuidado de las **manos** es sumamente importante, ya que pueden ser vehículo para la propagación de enfermedades, y fuente de grandes incapacidades.

Ellas constituyen una parte fundamental para el contacto con diferentes cosas y tienen una serie de terminaciones nerviosas que, por medio del sentido del tacto, proveen la información sobre los objetos con los cuales contacta.

Por ese sentido del tacto, se puede identificar las cosas sin apenas mirarlas, recibir información sobre sus características, forma, tamaño, superficie, peso, etcétera.

EJERCICIO 1

Ejemplo: hagan varios ejercicios con los ojos cerrados y toquen algunas cosas dentro de algún lugar (bolso, cajón, bolsillo, etc), para identificarlas, y además sirve como relajación. Y repítalo. Así podrá percatarse de su capacidad táctil y verá , quizás, si tiene dificultades.

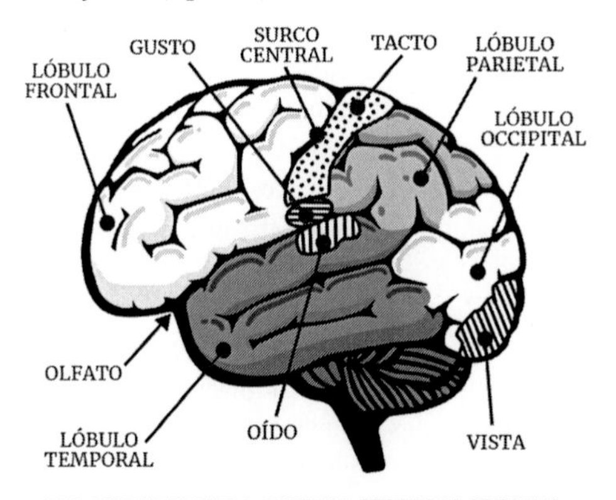

LOS SENTIDOS DE LA CORTEZA CEREBRAL HUMANA

Al igual que el resto de las partes del cuerpo, sus actividades se encuentran dirigidas por el cerebro que **es el órgano impulsor de todas nuestras acciones**.

Igualmente, según la Grafología, con la gráfica se pueden determinar ciertas características individuales que sirven de identificación. Es prácticamente imposible encontrar a dos personas con idénticos rasgos en la escritura y así concluyen muchos estudiosos de la materia.

Así mismo, se observa la preferencia de los instrumentistas por utilizar el dedo meñique, lo cual lleva aparejado la coordinación entre zonas selectivas del cerebro.

Es parecido a la práctica de la escritura **braille** en los no videntes, que desarrolla en ellos un aumento de la sensibilidad a nivel de los pulpejos de los dedos.

Decimos que las **manos** constituyen una herramienta inigualable y que ha evolucionado durante muchos años con sus millones de sensores que constituyen un tercer ojo.

Una importancia capital de las manos, la constituyen los **dermatoglifos**, o surcos que aparecen en los pulpejos de los dedos y que son fuente de identificación individual por las conocidas **Huellas Dactilares**.

Como vemos a diario en prácticas de karate, defensa personal y otras disciplinas de esta categoría, las manos pueden llegar a ser mortíferas, porque un karateca puede alcanzar una potencia incalculable y un adulto con las manos abiertas puede sostener un gran peso.

Las **manos** bien adiestradas en la rama de la medicina contribuyen en el diagnóstico de patologías y permiten realizar intervenciones quirúrgicas en busca de mejorar y curar ciertas afecciones.

Ellas, han sido centro de múltiples disciplinas y en diferentes vertientes: Haciendo historia recordemos que desde hace miles de años se ha practicado la lectura de ellas planteando encontrar restos del pasado y posibilidades futuras.

Según se refiere, han leído la palma de las manos, entre otros: los hindúes, los babilonios, los sumerios, chinos, griegos, musulmanes y otros muchos a nivel de todo el planeta.

De igual manera, son utilizadas para proveer salud física, mental y emocional por medio de maniobras milenarias reestructurando la energía vital del individuo por la utilización de masajes, kinesiología, reflexoterapia, reiki y otros muchos métodos alternativos o complementarios.

Con unas manos fuertes y saludables podemos realizar infinidad de actividades.

Sesión de masajes con sus variantes, donde es primordial la capacidad sensorial de las **manos** para poder detectar espasmos musculares, celulitis, retención líquida y variedad de alteraciones que se manifiestan a nivel superficial y profundo al mismo tiempo que reflejan afecciones internas.

Ellas permiten transmitir energía, realizar balance muscular, energético, drenage linfático, dígitopresión, reflexoterapia, relajación, reiki, técnicas de Kinesiología y otras complementarias para lograr un equilibrio integral.

En la planificación y construcción se realiza trabajo excesivo con las manos, diseñando gráficos y en la construcción con la manipulación las herramientas de trabajo, la fotografía, al igual que la mecánica, costura, danza, actuación, manualidades, dibujo, profesorado, en todo tipo de manifestación artística, los trabajadores en general y no trabajadores.

TODOS HACEMOS USO DE LAS MANOS

Como hablamos anteriormente, sabemos que existen formas de lenguaje: **lenguaje verbal y no verbal** y las **manos** son una expresión de lenguaje no verbal, ya que con ellas podemos expresar diferentes estados de ánimo, dar orientaciones y expresar señales.

Los invito a observar cuantas acciones se realizan con las **manos** y cuantos contactos se realizan con ellas durante unos minutos: Sujetar las llaves, los utensilios de limpieza, monedas, billetes, mesas, documentos, volante, guía o timón de su vehículo, artículos personales y de trabajo. Son numerosos.

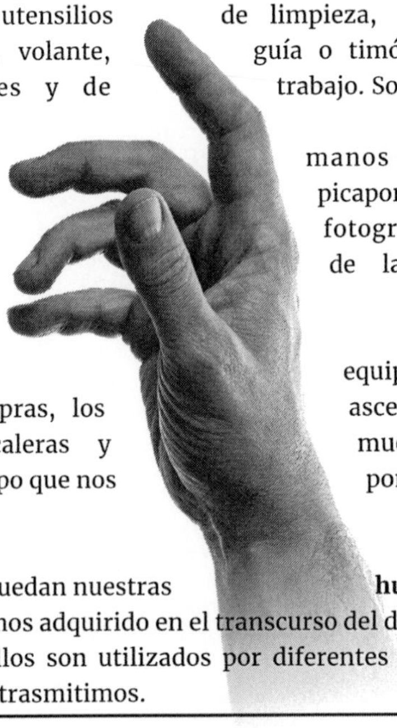

Además, las manos tienen contacto constante con los picaportes, al saludar, plumas, cámaras fotográficas, bolígrafos, ratón o mouse de la computadora u ordenador.

El control de los equipos electrónicos, los carritos de compras, los ascensores, pasamanos, pasamanos de escaleras y muchos más, pues es la parte de nuestro cuerpo que nos pone más en contacto con lo que nos rodea.

En esos objetos, quedan nuestras **huellas dactilares** y los gérmenes que hemos adquirido en el transcurso del día en esos contactos ya que algunos de ellos son utilizados por diferentes personas a los que nosotros igualmente trasmitimos.

Pues, los invito a analizar el tiempo que transcurre desde que piensa realizar un movimiento y el que transcurre para realizarlo y sabrá el increíble tiempo en que se produce la acción, si lo hace inmediatamente.

LA MARAVILLA DEL SER HUMANO

Resulta maravilloso poder realizar variadas acciones con los diferentes lenguajes, y con el **extra verbal de las manos**: las de amor, salud, alegría, aceptación, rechazo, desdén, interrogación, preocupación, resolución y más. Además de tener la oportunidad de aprender y desarrollar actividades cotidianas y profesionales que nos harán útiles a la sociedad en general.

Teniendo en cuenta la infinidad de contactos que tienen nuestras manos, se deduce sobre los cuidados que necesitan para conservarse en estado adecuado en promover y mantener una buena salud general.

“Si cuidamos bien nuestras manos mantendremos intacto nuestro sistema de identificación”.

Molestias en los ojos

Los ojos constituyen la parte del cuerpo que detecta la la presencia de luz y oscuridad y forman parte del sentido de la vista.

Al recibir la energía lumínica, la transforma en señales eléctricas que se envían al cerebro. Su vía de conducción es el nervio óptico. Son dos ojos y situados en la parte superior de la cara, debajo de la frente, a ambos lados de la raíz de la nariz, sobre los senos maxilares, y pueden percibir forma, color, movimiento y más.

Todas las partes del ojo son importantes, pero haremos hincapié en algunas.

- CONJUNTIVA-Parte externa y superficial del ojo. Cubre el globo ocular y la parte interna del párpado, es húmeda.
- CÓRNEA-Protege el cristalino y el iris. Es la parte externa del ojo.
- IRIS-Es parte coloreada del ojo, regula la entrada de luz al mismo. Aumenta o disminuye según la intensidad de la luz.
- PUPILA-Es el orificio central del iris y puede dilatarse, o contraerse en función de la intensidad de la luz. A mayor intensidad, hay más contracción pupilar.
- CRISTALINO-Lente biconvexa, siendo la interna más importante. Enfoca el haz de luz en la retina.
- RETINA-Sensible a la luz, informa sobre la nitidez y el color. Contiene CONOS Y BASTONES (fotorreceptores).
  Los Bastones, son aproximadamente 120 millones, son muy sensibles a la luz, por ellos, apreciamos el brillo, blanco, negro. Se estimulan en función de la intensidad de la luz que reciben y envían la información al nervio óptico. Además, participan en la visión periférica y nocturna.
  Los Conos, están estimulados por la luz brillante y son menos sensibles, pueden reproducir detalles de alta resolución, son creadores de la visión a color y pueden destacar la riqueza de los detalles que los bastones, no pueden.
- ESCLERÓTICA-Capa externa, resistente, blanquecina, opaca que cubre partes del globo ocular.
- NERVIO ÓPTICO-Conduce los impulsos de conos y bastones al cerebro. Hay señales eléctricas que el cerebro transforma en la sensación virtual.

Además de los ojos y el cerebro, necesitamos una luz que penetre en ellos para que forme la imagen.

LUZ→CÓRNEA→PUPILA→CRISTALINO→RETINA (conos y bastones). Se transforma en impulsos nerviosos que son trasladados al cerebro por el Nervio Óptico.

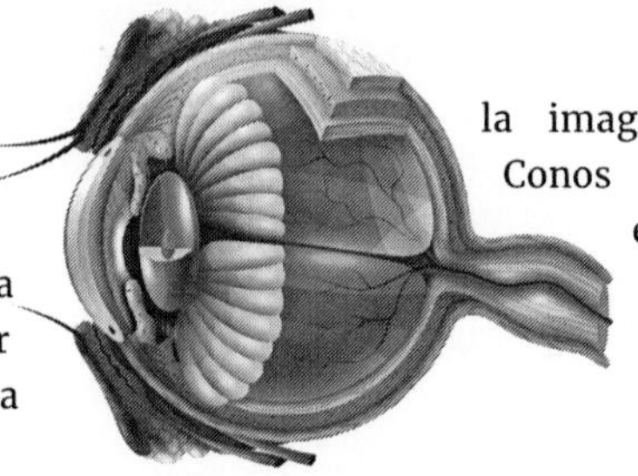

La RETINA recibe la imagen INVERTIDA en sus paredes. Los Conos y Bastones transforman esa luz en impulsos nerviosos. La electricidad se traslada al cerebro por el nervio óptico y el cerebro analiza la imagen y sus características.

Ambos nervios ópticos se cruzan en zona central del cerebro QUIASMA ÓPTICO y llegan al lóbulo occipital en la parte posterior de la cabeza.

Hablando sobre la conjuntivitis que es el tema que nos ocupa:

Esta se produce por la inflamación de la conjuntiva que es membrana transparente que lo cubre, la parte blanca del ojo. Algunos pequeños vasos sanguíneos pueden verse a su través, por su exposición puede sufrir muchas alteraciones.

La conjuntivitis, puede tener diferentes causas, como: bacterianas, viral, micótica (hongos), alérgica, traumática, rinitis, sinusitis, por polvo, aire, frío, polen, caspa, humo, agentes diferentes, cuerpo extraño, resfriado.

Sarampión, por soldadura, ojos secos, sustancias irritantes y tocar el ojo con los dedos contaminados o pañuelos usados, lentes de contacto, alergia a productos químicos, obstrucción del conducto naso lagrimal o lagrimal y otras.

La conjuntivitis puede durar meses o años, acompañarse entropion o ectropion, según la evolución y no asistencia al oftalmólogo a tiempo.

Los **síntomas** frecuentes pueden ser: ardor, prurito o picazón, molestia a la luz (fotofobia), sensación de cuerpo extraño, lagrimeo o epífora, inflamación, enrojecimiento, secreción purulenta (pus) y otras.

En cuanto a la **prevención** podemos evitar tocar los ojos con manos asépticas, utilizar lentes de contacto que se amolden a nuestra estructura ocular, evitar infecciones por Estafilococo, Estreptococo, Clamidia y otros agentes bacterianos, virales o por hongos.

El lavado frecuente de las manos es fuente de una mejor salud, muy importante antes de llevar alimentos a la boca. Además, en su defecto, resulta útil, la utilización de desinfectante manual de calidad y servilletas húmedas desechables.

Así mismo, se añade la posibilidad de utilizar cepillito de manos algunas veces y guantes cuando sea necesario, un corte adecuado de uñas, y otras medidas establecidas.

Es recomendable que, al confirmar alguna alteración en manos y uñas, debemos asistir al facultativo pues en ocasiones existen gérmenes, preferiblemente hongos, o ellas están informando de alguna alteración de carácter general.

Debemos recordar que eso se encuentra entre una de las causas de discapacidad visual en el recién nacido, por contaminación, trauma u otro manejo.

Igualmente existen otras causas como: Perinatales, intrauterinas, hereditarias, congénitas, tumorales, tóxicas, víricas, idiopáticas, y otras.

Algunas de ellas pueden ser: Rubeola materna durante el embarazo, catarata, miopía degenerativa, atrofia del nervio óptico, trauma en la retina, retinopatía diabética, hiperoxigenación en incubadora, desprendimiento de la retina entre otras. Es determinante la consulta con su oftalmólogo al percatarse de ello.

"Muchas enfermedades comienzan por la mala atención anuestras manos. ¡¡¡Vamos a cuidarlas!!!... y eduquemos a los menores".

¿Vértigo o mareo?

En ocasiones no puedo dar un paso y tengo que sentarme o sujetarme para no caer cuando todo me da vueltas. ¿Tendré mareo o vértigo?

Esa sensación de giro, bien sea de su cuerpo, como de lo que le rodea, se presenta con cierta frecuencia. Es desagradable y puede acompañarse de caída.

En ocasiones, existe confusión entre el mareo, vértigo y desbalance, lo que es importante diferenciar para proceder con la conducta a seguir en cada persona. Es un tema complejo que puede ampliarse posteriormente.

Recordemos que el **mareo** consiste en sensación de marear, como su nombre indica, es como si estuviera en una embarcación, con posible náusea, vómitos, inestabilidad, sudoración y cierta palidez.

Por otra parte, el **desbalance** puede presentarse sobre una superficie irregular, trastornos circulatorios, por calzado mal ajustado, alteraciones de columna, otras partes del esqueleto, digestivas, hormonales, tensionales, y demás.

Diferente al VÉRTIGO, que es aquel donde existe la sensación de giro personal o del entorno y puede desencadenar en caída brusca y aparatosa, náuseas, vómitos, sudoración abundante, palidez, ruidos de oídos también llamados tinitus o acúfenos.

Como en el equilibrio intervienen diferentes estructuras como: la visión, sistema vestibular, cerebelo, circulación, postura, estructuras músculo esqueletales, sistema neurológico, tacto y otros, tenemos que cuando falla la comunicación entre ellos puede aparecer el vértigo con sus síntomas asociados.

Abreviando recordemos que el oído consta de tres partes: externo, medio e interno y nos referiremos al interno. Este consta de la cóclea o caracol y el sistema vestibular con los tres conductos semicirculares. La cóclea se encarga de la identificación de los sonidos y el laberinto con los conductos semicirculares, sobre la posición del cuerpo. Estructura y funciones altamente complicadas y selectivas.

La arteria auditiva que lleva sangre al oído es microscópica y al disminuir la circulación, puede presentarse alguno de estos síntomas, así como por la limitación en funciones de venas, linfáticos y nervios que atraviesan la zona.

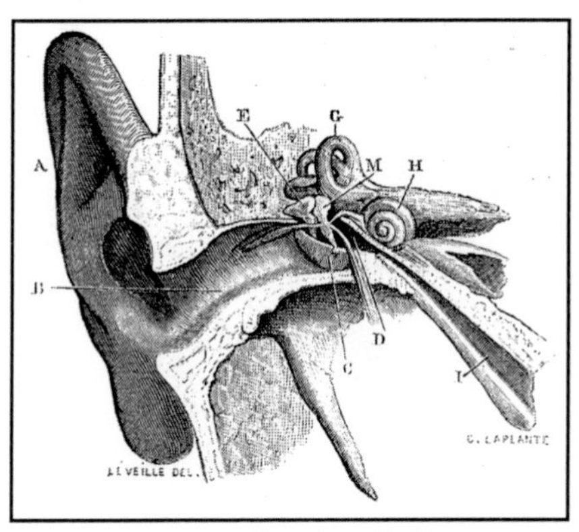

Representación antigua del oido

Otro signo importante en el vértigo es el NISTAGMOS que consiste en una sacudida brusca en los globos oculares (ojos). Puede ser horizontal (de lado a lado), vertical (de arriba abajo), circular y otro llamado de rebote.

La persona, durante el vértigo, necesita atención inmediata para evitar en primer lugar, una caída. Además, dentro de las posibles causas de vértigo, podemos contar con muchas, ya que se pueden involucrar casi todos los sistemas del organismo.

Según la frecuencia, puede aparecer a cualquier edad, pero preferentemente entre 40 a 70 años y en el sexo femenino.

Los vértigos pueden ser de **origen periférico y central**. Los **periféricos** pueden ser de diferentes causas como, en primer lugar, óticas y oculares. Además, cardiovasculares, neurovegetativas, digestivas, osteo musculares, posicionales (cambios bruscos de posición), movimientos del cuello, articulares, emotivas, traumáticas, tumorales, neurológicas, Neurinoma del nervio acústico, por altura, farmacológicas, alérgicas, tóxicas y muchas más. En una época se les llamó Síndromes Menieriformes

En cuanto al vértigo **central**, que puede originarse en zonas alrededor del oído interno, lesiones degenerativas del sistema nervioso central, infartos del tallo cerebral y cerebelo, los síntomas son menos intensos y más prolongados y pueden acompañarse de parálisis facial, trastornos en la articulación de las palabras (disartrias), trastornos visuales, ruidos de oídos, no tanto los vértigos, ni pérdida de audición, dependiendo de la localización.

Existe una variante de vértigo muy nombrada y corresponde a la

Enfermedad de Ménière, descrita en 1861 por Prosper Ménière, quién la describió como una hidropesía del laberinto. Los tres conductos del laberinto, son óseos y en su interior es membranoso; entre ellos existe un líquido (perilinfa). Dentro del membranoso hay otro líquido (endolinfa) para mantener un equilibrio.

La endolinfa dentro del conducto mencionado informa sobre la posición de la cabeza, envía mensajes al cerebro y en la hidropesía, falla esa información.

Este vértigo de Ménière, se caracteriza por ser brusco, se acompaña de nistagmos, VÉRTIGO, TINITUS Y DISMINUCIÓN DE LA AUDICIÓN, una tríada obligatoria en el Ménière. La disminución de audición (hipoacusia) aumenta con cada crisis, que pueden ser recurrentes.

Posper Ménière.

Otras afecciones pueden ser, Neuronitis vestibular, Fístula perilinfática, después de ciertas cirugías, y muchas más.

En ocasiones es difícil de identificar por la gran variedad de causas posibles en el vértigo y se realizan estudios abarcadores desde la entrevista en adelante. Por ello es importante informar a su profesional sobre los síntomas para cooperar en un rápido diagnóstico.

Siempre de la mano de su profesional de la salud que realizará los estudios pertinentes. El tratamiento como ven, podrá ser, medicamentoso, psicológico, rehabilitador, complementario o quirúrgico, siempre de acuerdo con el criterio médico y la aprobación del paciente.

“Es una información orientadora con la esperanza de que acudan a su profesional de la salud en busca de orientación y tratamiento”.

Algo sobre la voz

La voz, es un vehículo de comunicación verbal, y se obtiene por medio de la acción de varios factores. Son órganos y sistemas que funcionan coordinadamente desde el punto de vista mecánico, funcional, emocional y otras condiciones. Trataremos parte de una de las funciones implicadas en el proceso fonatorio y que son solicitadas por muchos.

La laringe es una parte del organismo que se encarga de realizar diferentes funciones, tanto orgánicas como funcionales. Se encuentra situada en la parte anterior del cuello y protegida por una serie de estructuras como, cartílagos, músculos, ligamentos, linfáticos, vasos y nervios.

Ella tiene diversas funciones como: respiratoria, deglutoria, protectora, expectorante, fonatoria, de fijación, esfuerzo, tusígena y otras. Además, se utiliza en funciones especializadas como el habla, canto, y producir otra serie de sonidos incluso los quejidos de los niños.

Se encuentra en contacto con el esófago que da entrada al tubo digestivo, y están en constante coordinación en diferentes funciones.

Este capítulo trata sobre la voz que se produce por una serie de mecanismos, imbricados, de los cuales profundizaremos en otra edición pues es extenso y lo traemos ahora tratando de cumplimentar parte de su interés.

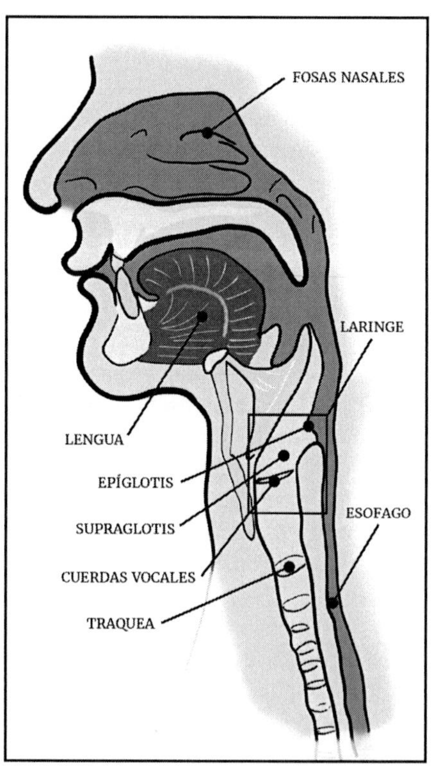

Gráfico de las partes de la laringe.

En la laringe se produce el sonido fundamental y se modifica por otras estructuras cercanas.

Esta, en su parte anterior tiene la protección del cartílago tiroides, en la posterior, los cartílagos aritenoides, entre ellos el músculo tiroaritenoideo (cuerdas vocales verdaderas) y otras conexiones.

Estas cuerdas forman una "V" unida delante y separada por detrás. Ambas se separan en la inspiración y se acercan en la espiración, así respiramos apaciblemente durante toda nuestra vida, 24 horas diarias continuas sin receso, millones de veces.

Hay muchas patologías específicas e inespecíficas, muy interesantes, que se aprecian diariamente.

PRESENTACIÓN DE UNA HISTORIA

Me preguntaban por trastornos en el tono de voz en el hombre, en los cuales permanece con voz sumamente aguda, independientemente a su complexión.

Tengo la preocupación de que mi voz a pesar de ser hombre, es demasiado fina y me confunden con un niño o una mujer. Además, quisiera hacer una prueba para la radio o televisión, pero esto me lo impide. ¿Qué puedo hacer?

Estos síntomas y signos ocurren en general en las personas del sexo masculino y les crea cierta inconformidad desde el punto de vista personal, profesional y social, aunque otros sacan buen partido de ello.

No es muy frecuente, pero existe generalmente por trastornos anatómicos y/o funcionales de las estructuras que forman la laringe y durante la adolescencia.

Como existen múltiples causas de trastornos de voz, vamos a decirle sobre su pregunta para poder explicarnos mejor y si presenta más dudas podremos ampliar más adelante.En este caso es posible que presentes **la Voz Eunucoide**, la cual se produce por trastornos en el proceso de desarrollo en la adolescencia al cambiar la voz, conjuntamente en ocasiones, con algunas variantes generales.

En la muda orgánica, al crecer el escudo de la laringe y con él, las cuerdas vocales, a la mujer suele bajarle la voz, entre tres y cuatro tonos en la escala musical, y en el hombre puede bajar aproximadamente, una octava. Pero funcionalmente, hay casos en que no sucede debido a diferentes causas.

En estas personas, la voz se presenta sobreaguda y en ocasiones con variaciones en altura dentro de la misma oración. Características conocidas por algunos, como **Tonopatías funcionales**, donde también se afectan los resonadores, articuladores, apoyo e impostación de la voz, lo que lleva a alteraciones.

Esto va condicionando una hiperfunción del sistema neumo-fónico-resonador(respiración-fonación-resonancia) en la adolescencia, donde se ve impedido de hablar en su nivel tonal natural, que no guarda relación con su desarrollo físico y utiliza un nivel tonal habitual, no acorde con sus posibilidades, lo que aumenta las dificultades.

Afortunadamente, con nuestra técnica SINKINESIS MÚSICO VOCAL INTEGRAL, hemos podido bajarla una tercera, quinta u octava en el hombre, según la situación.

Espero haber aclarado su pregunta y gracias por su confianza

En este capítulo quiero incluir un artículo relacionado con una de las visitas que recibimos de los reporteros del Periódico Granma en nuestra oficina de Otorrinolaringología y Logopedia y Foniatría, del hospital Clínico Quirúrgico 10 de Octubre por motivos de habernos declarado UNIDAD MODELO en cuanto a nuestros logros en atención y resultados con la ayuda a nuestros pacientes.

Nuestros logros

INCREMENTA EL SERVICIO DE O. R. L.
SUS OFERTAS A LA POBLACION

Nuevo tratamiento para la ronquera y otras dolencias de la especialidad

NUESTROS LOGROS
INCREMENTA EL SERVICIO DE O.R.L.
SUS OFERTAS A LA POBLACIÓN

Pasamos de inmediato a la más nueva sección, la de otorrinologofoniatría, rodeada de una gran experiencia entre todos nuestros trabajadores, y para descifrar el misterio de las alfombras y cortinas rojas,

Momento del reportaje.

de los grandes espejos y el piano, conversamos con la Dra. Odelinda Cárdenas García, quien junto a los técnicos brindan un servicio de primera a los pacientes afectos de articulación de las palabras, disfonía (ronquera), tanto del habla como del canto, de ahí la presencia de artistas conocidos en la consulta, aspecto este que ha llamado la atención en torno al servicio.

De inmediato nuestra primera pregunta: ***¿cuáles son los objetivos de esta consulta y quiénes pueden beneficiarse con sus servicios?***

"Nuestro principal objetivo, es brindar un trabajo de rehabilitación a los pacientes con patologías de lenguaje-habla-voz, disfónicos, etc. Y pueden acudir a nuestra consulta los pacientes remitidos por el otorrino, el neurólogo, el clínico, médico de la familia, además de todo aquel que lo necesite; las puertas están abiertas, para lo cual se ha habilitado esta consulta con todas las condiciones para la fono amortiguación (cortinas, alfombras)".

Así termina nuestra visita a este aguerrido servicio, no sin antes felicitar a todo el colectivo de médicos, enfermeras y técnicos de la especialidad, ganadores de la condición UNIDAD MODELO y para quienes tiene como objetivo primero, brindar un servicio de alta calidad a nuestro pueblo.

Para el Periódico Granma. Año 1995.

Se realizó en el Hospital Clínico Quirúrgico 10 de Octubre-La Habana, Cuba.

"La voz es un medio especial de comunicación".

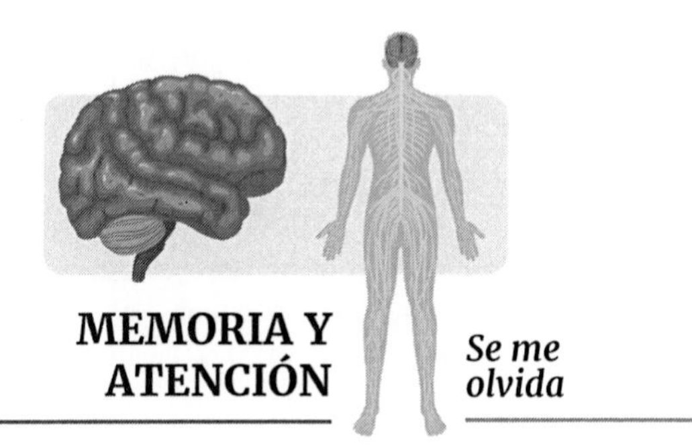

MEMORIA Y ATENCIÓN

Se me olvida

Me disgusto porque se me olvidan las cosas. ¿Por qué?

Este tema es muy interesante y se actualiza con frecuencia por los estudios que se realizan constantemente a fin de encontrar medidas posibles para lograr ciertas soluciones.

La razón del por qué se olviden algunas cosas puede suceder a cualquier edad y no necesariamente en mayores.

A veces encontramos en los menores, ciertos procesos: genéticos, traumáticos, durante el transcurso del tiempo. Un pequeño con daño cerebral, no reconoce y menos podrá memorizar por causas diversas, como por ejemplo:

1. Hereditarias.
2. Parto retrasado.
3. Cordón umbilical alrededor de cuello (Circular).
4. Estrés, depresión, u otro trastorno anímico de la madre.
5. Hábitos tóxicos en los padres.
6. Hipoxia cerebral.

Pasando el tiempo, en ocasiones, pueden surgir:

7. Accidentes durante los juegos infantiles, en transporte, u otro cualquiera.
8. Maltrato.
9. Lesión que provoque daño a nivel de la cabeza y/o espina dorsal.
10. Desnutrición.
11. Deshidratación severa.
12. Otras.

La memoria funciona correctamente por medio de millones de estructuras que actúan coordinadamente y en fracciones de segundo.

El cerebro, además de otras estructuras, en su sistema nervioso, cuenta con millones de células, llamadas **NEURONAS** y éstas, excitan las fibras al recibir el impulso nervioso por medio de sus conexiones. **Las Glías**, con sus variedades, son células más pequeñas y numerosas, situadas igualmente en el Sistema Nervioso Central y Periférico y se ocupan de dar sostén a las neuronas, asistirlas, estar a su cuidado y nutrición. Estas Glías, le dan estabilidad y duración, cosa importante pues las neuronas no pueden reemplazarse tan rápidamente en personas mayores y/o con ciertas deficiencias de acuerdo a la plasticidad.

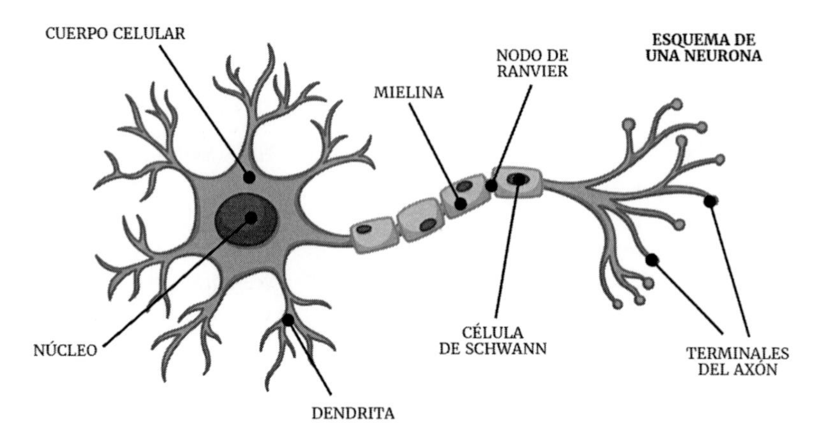

Se han realizado estudios esperanzadores en el tiempo, que resumen la existencia de neuronas que puedan ser reemplazadas por diferentes métodos en el futuro``.

La memoria puede clasificarse en: **a corto, mediano y largo plazo**. La porción del cerebro que actúa directamente en ella se le llama **Hipocampo**, en su **Giro Dentado** que muchos consideran una modificación del mismo. Tiene papel en la formación de recuerdos, consolidar y recuperar la memoria. Es tema muy extenso y complicado que podrá continuar.

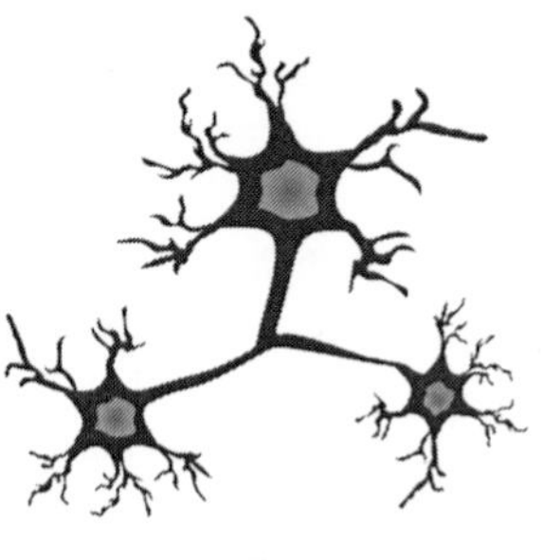

Glias.

En 1959, Reiff y Scheers, alertaron sobre dos tipos de memoria:

- **Semántica**, en 1972 Tulving la refirió como una suma de conocimientos adquiridos pero no asociados a experiencia concreta.
- **Episódica**, fue relacionada con experiencias concretas.

En general se valoran diferentes causas de disminución y pérdida de la memoria:

1. Alteración en los neurotrasmisores cerebrales.
2. Trauma craneal.
3. Deshidratación.
4. Tumores cerebrales.
5. Trastornos emocionales en la infancia o posteriores.
6. Herencia, edad avanzada, disociación de ideas.
7. Hábitos tóxicos.
8. Defensas bajas (inmunodeficiencia).
9. Muchas ocupaciones.

Hay otras posible causas asociadas como: tiroides, hígado, riñón, alcoholismo, mala ingesta, reacciones medicamentosas, o alimentarias, mala atención y muchas más.

DIFERENCIAS DE IMAGEN ENTRE CEREBRO SANO Y EL DEL ALZHEIMER

Los psiquiatras alemanes Emil Kraepelin y el además neurólogo Alois Alzheimer, fueron los principales en la descripción de los síntomas y signos de esta afección que en 1906, le denominaron ENFERMEDAD DE ALZHEIMER en su honor.

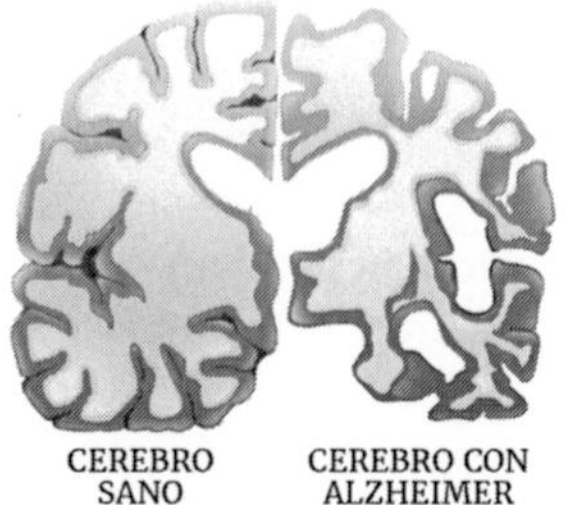

En la **Demencia Senil Tipo Alzheimer, forma más frecuente de demencia**, existe dificultad en la revitalización, neuronal, no se producen muchas neuronas sanas y su maduración es defectuosa, aunque en las inmaduras puede existir cierta posibiidad según su plasticidad.

Por el deterioro mental, no siguen orientación, son agresivos, están desorientados, mala higiene, no encuentran palabras ni frases con un constante agravamiento.

Los producidos por dificultad circulatoria pueden aparecer brúscamente por la falta de riego sanguíneo y presentar disociacion de ideas.

Emil Kraepelin.

Alois Alzheimer.

Desde hace tiempo se trabaja sobre a infuencia de un péptido (beta-amiloide) como parte importante en este proceso.

Simplificando diremos, que en el **D**año **C**ognitivo **L**eve o la disminución leve de la memoria se acompaña de pérdida de cosas, dificultad en realizar diferentes tareas, recordar situaciones, acciones repetitivas y más.

Desde el punto de vista social, como AYUDA a estas personas, además de orientarlos a recibir su tratamiento periódicamente, tenemos:

A. Enseñarlos a organizar sus cosas de la misma forma o manera.
B. Una alimentación acorde a sus necesidades.
C. Hidratarse debidamente, se les olvida
D. Asitir a reuniones, sociedades, grupos, cultos.
E. Realizar trabajos manuales, lectura.
F. No fumar, ni ingerir bebidas alcohólicas.
G. Tiempo de descanso.

Los mayores deben mantener su memoria activa durante más tiempo y permaneciendo en las condiciones habituales, para no agobiarse incorporando demasiadas situaciones, datos y circunstancias nuevas.

Ingerir suficiente agua, buena higiene personal y ambiental, practicar ciertos ejercicios, dieta adecuada, relaciones personales amorosas, comprensivas, pacientes.

Ellos son parte importante en la historia.

Igualmente, tener en cuenta que muchas de las situaciones actuales están fuera de su alcance cognitivo y les crea confusiones, ayudarles a desarrollar algún trabajo, escuchar sus sueños y aspiraciones del pasado que puede ser de utilidad por su experiencia.

A eso y mucho más le llamo: BUENA ATENCIÓN.

- La memoria es la capacidad de almacenar, retener y recordar informaciones por medio de conexiones sinápticas entre las neuronas. Según el científico Carl Sagan se puede almacenar información equivalente a 10 billones de páginas de enciclopedia.

Es necesario mantener una actividad cerebral constante y saludable para evitar o retardar la destrucción neuronal.

"Esperemos que en un futuro se encuentren posibles soluciones para los pacientes y sus cuidadores".

¿Cómo se puede comunicar?

El **Trastorno Espectro Autista** o **Autism Spectrum Disorder**, se considera trastorno neurológico que afecta a estructura y funcionalidad del cerebro.

Hasta el momento actual, no se especifica **una causa o etiología**, aunque se plantea la existencia de diferencias en la forma y estructura del cerebro, sin referirse a zona exacta. Se desarrollan diferentes investigaciones a gran escala a nivel internacional en busca de fenómenos causantes de ello.

La **frecuencia** en la detección del Autismo, ha aumentado en los últimos años. Esto puede deberse a los actuales medios de diagnósticos, el desarrollo en las investigaciones y con más medios de comunicación existe mejor orientación a la población.

En cuanto a los sectores donde aparece el Autismo, tenemos los niños menores de tres años, sin discriminar por edad porque suele aparecer después, la raza, origen, nacionalidad, grupo social, religión, si presenta déficit en alguna de las funciones, etc

Se analizan estudios sobre genética y se han detectado variantes comunes que pueden contribuir en su aparición.

Las manifestaciones no son iguales en cada uno. Todos son diferentes en su forma de presentación en general.

Afecta la capacidad de comunicarse y tener buena relación al jugar. Los síntomas pueden combinarse y ser muy complejos o simples

ALTERACIONES ENCONTRADAS

Bajo los nuevos resultados registrados en las últimas pruebas incluyen entre otras:

1. Dificultad para comunicarse en grupo y rehusar el hacerlo. Prefieren la soledad.
2. No existe reciprocidad en las relaciones. Siempre desean predominar.
3. Dificultad en la comunicación no verbal y para participar en relaciones con los compañeros y desconocidos.
4. Tienen un comportamiento repetitivo, limitado.
5. Inflexibles en su comportamiento. La razón les pertenece.
6. Frecuente preocupación por objetos y cosas sin sentido y pueden quedar entretenidos con ellos.
7. Habla y/o movimientos repetitivos de manos, dedos, cuello, pies u otras partes de cuerpo.
8. Trastornos en la estimulación sensorial, ya sea hiper (mucha) o hipo(poca).

Las características aparecen durante desarrollo temprano de la infancia del menor, pero existen otros que van apareciendo posteriormente cuando se les exige algo mayor a sus posibilidades y se sienten ansiosos.

Los niños pueden confundirse al seleccionar los juguetes según sus preferidos, pues no toman en cuenta la edad correspondiente a ellos.

En algunos portadores de Autismo puede existir asociación con: Síndrome de Down, Deficiencia Visual, Trastornos Psicológicos y/o Psiquiátricos, Epilepsia, Depresión, Ansiedad, Síntomas Obsesivo Compulsivos, Déficit Atencional, Esquizofrenia y otros.

PATOLOGÍAS ASOCIADAS

El doctor Hans Asperger, médico austríaco, pediatra, investigador de los desórdenes mentales preferentemente en niños con dificultades en la comunicación, logró muchos avances en ese aspecto.

Por ello en 1981 Lorna Wing, psiquiatra británica, logró su reconocimiento por medio de la denominación a esta entidad, como SÍNDROME DE ASPERGER, en su nombre.

Fue incluida en el Manual de Diagnóstico y Estadístico, de Trastornos Mentales, dentro los Trastornos del Espectro Autista (TEA).

SÍNDROME DE ASPERGER

Es una forma de autismo de alto funcionamiento con baja interacción social, en ocasiones torpeza, conducta repetititva y otros signos. Se considera la más alta categoría de Trastorno del Espectro Autista que afecta las relaciones sociales independientemente de tener **C**ociente de **I**nteligencia (**C.I.**) normal o encima de la media.

Se describen otros signos habituales que son:

A. Funcionamiento psicológico peculiar.
B. No pueden descifrar un pensamiento o condición de los demás.
C. Trastornos en el control de impulsos, respuestas inadecuadas, son casi inacapaces de planificarse ni organizarse.
D. Pensamientos y comportamiento, inflexible. Rutinas estrictas. Disminución de rendimiento.
E. Problemas en la expresión, trastornos del habla y resonancia de la voz. Mala interpretación de gestos. Entonación en mensajes, la postura y no captan la situación emocional de otros, dificutad en relación social con poca integración general.
F. Esquivan la mirada cuando hablan, pueden irritarse ante ruidos, luz, imágenes, opiniones.
G. Hablan mucho, alto con palabras muy estudiadas, inventan palabras o tienen expresiones idiosincrásicas.
H. No coprenden el mundo que les rodea.

Existen otras denominaciones de entidades parecidas, como es el Síndrome de Rett, Autismo Atípico y otras.

Ellos presentan dificultades en la interacción, **la relación de pareja**, situaciones **laborales y sociales**. En ocasiones los interpretan como egoístas. porque no comprenden facilmente las manifestaciones no verbales.

Tienen rutinas estrictas y si esta varía, le causa estrés con dificutades. Además presentan torpeza motora. Movimientos atípicos, agitación de manos, saltos, alineamientos en bloque o rotación de ruedas de autos inadecuadamente, según refieren algunos.

Muchas personas se deprimen o sufren estados de ansiedad al recibir el diagnóstico pero posteriormente recobran su estabiidad.

Desde el punto de vista **social**, su aislamiento disminuye las relaciones. Actualmente el llamado Mundo Digital abre puerta a estas personas ya que tienen similares códigos y utilizan otros métodos no presenciales para comunicarse.

Atendiendo las relaciones de **pareja**: En ocasiones hay confictos por una falta de empatía y la persona afectada no sabe cómo responder a su pareja ya que tienen poca necesidad de relación frecuente.

Con respecto a la vida **laboral**: Evitan trabajar con contactos personales frecuentes y buscan actividades individuales o que se adapten a sus perfiles. Ahora con el desarrollo de la internet, existe oportunidad para su expansión ya que pueden comunicarse por este medio.

Cada situación que requiera relaciones frecuentes les provoca cierta ansiedad.

Es un tema muy extenso y en evolución constante con nuevas actualizaciones.

Existen centros de investigación, diagnóstico y ayuda a estas personas a nivel mundial, en busca de encontrar mayores datos de interés.

Se recomiendan variantes como medidas de apoyo. Cierto tipo de ejercicios de alcance psicosocial, diferentes juegos en grupo, asistencia psicológica individualizada, coordinación multidisciplinaria orientación y educación a padres y público en general sobre la afección, métodos de recuperación. Medios diagnósticos y rehabilitadores. Necesitan gran apoyo familiar.

Ciertas cifras en diferentes sistemas, han sufrido cambios y con nuevos estudios a nivel mundial podrá suceder igualmente.

Se entiende por ambiente, lo que nos rodea tanto animado como inanimado y de cuyo cuidado, todos somos responsables para obtener la mejor funcionabilidad, y hacerlo perdurable.

En Estocolmo en 1972, se declaró **el 5 de junio como Día Mundial del Medio Ambiente**. El mismo se hizo efectivo a partir de 1973-74.

Fue un vínculo utilizado para fomentar el apoyo sobre el cuidado y preservación del Ambiente.

La contaminación ambiental causa enfermedades que en ocasiones se tornan fatales. En estudios recientes de centros acreditados, se ha llegado a conclusiones de que hay gran aumento de reacciones alérgicas por ingerir productos infectados.

Por tal motivo en algunos lugares se ha implantado docencia a personal educativo sobre actuación de emergencia en reacciones alérgicas de los escolares.

Así mismo, la reaparición de la Fiebre Amarilla, la Malaria, Ébola y otras enfermedades surgidas por contaminación ambiental del aire, la tierra, el agua, por criaderos de insectos, que inciden directamente en ello, son índice de la importancia en mantener su cuidado.

Algunas medidas que podemos recordar:

- Aprovechar la luz natural, abrir en lo posible, las puertas y ventanas.
- Emplear bombillas de bajo consumo.
- Lavar el vehículo con baldes de agua en lugar de mangueras.
- Hay carreras que apoyan el aspecto ecológico en los negocios.
- Manejar productos reciclables y aseados.
- Analizar los contaminantes de las construcciones, demoliciones, implosiones, radioactividad, y otros en generales.
- Ahorro del agua en las diferentes funciones a realizar.
- Desconectar los equipos electrónicos inutilizados.
- Aprovechar baterías recargables.
- Si es posible, movilizarse en transporte urbano, bicicletas para viajes cortos siempre que su salud y la vía lo permita.
  Utilizar bolsas de tela, papel u otro material no plástico para las compras, ya que éste demora más tiempo en degradarse.
- Plantar árboles porque además de embellecer la zona, sirven para mejorar la calidad del aire y el sistema respiratorio.
- Asear y cuidar adecuadamente a las mascotas.
- Crear juguetes con materiales ecológicos.
- Documentarse con material sobre el medio ambiente.
- Adiestrar a los niños en cuanto al cuidado del Medio Ambiente para que desarrollen el hábito desde sus inicios.
- Separar y clasificar los residuos.
- Reutilizar los objetos posibles. Usar servilletas de tela.
- Consumir frutas y verduras ecológicas por contener menos fertilizantes.
- Usar termostato, para la calefacción, aire acondicionado y otros enseres que lo necesiten y control manual.

Estudiar los materiales apropiados para reciclaje en cuanto a la forma y lugar para su depósito porque muchas veces el material depositado se desecha por no cumplir los parámetros adecuados.

Tener precaución con elementos grasosos, húmedos, contaminados, muy pequeños, tapas de botellas de plástico sueltas, bolsas laminadas.

Igualmente, chatarra, plásticos sin forma, equipos electrónicos, piezas de vehículos, tanques de gas, colchones, bicicletas. Para ellos debe existir algún lugar apropiado para la recogida en su localidad.

Un método muy eficaz es la composta que puede realizarse en algunos lugares y está establecida en ciertas ciudades.

Después de un huracan...

Continuando y ampliando, el agua es un elemento esencial en la vida, compuesta por dos átomos de hidrógeno y uno de oxígeno.

Esta, ocupa aproximadamente del 70 al 75% del peso corporal, distribuido en huesos, masa muscular, sangre, y otros fluidos.

Tiene características de ser insípida, incolora e inodora, aunque en oportunidades aparece de color azul por la presencia de zinc, sodio, cobalto, azufre y otros minerales y verde ante la presencia de cobre.

Al hablar de calidad del agua (grifo, destilada, mineral, estructurada, con gas o sin él, etc), debemos pensar en las características radiológicas, biológicas, físicas y químicas, de acuerdo a los fines futuros, ya sea humano u otro propósito.

Se entiende por contaminación del agua, al efecto y acción de introducir materias o formas de energía que puedan perjudicar y alterar la calidad de la misma, en relación con su posterior uso, además de su función ecológica.

Hay fenómenos naturales propios del equilibrio del ecosistema, que producen afectación de diferente índole; por ejemplo, los **huracanes** que pueden ser devastadores, destruir vidas, instalaciones, edificaciones, flora, fauna, vehículos terrestres y marinos, y lo que encuentre a su paso.

Los desastres de este tipo, al afectar vehículos, acarrean ciertas dificultades de índole general que perturban la salud, por inhalar la pérdida de combustible y otros compuestos utilizados en su construcción que, de alguna manera, pueden producir ciertas intoxicaciones.

También debemos analizar teniendo en cuenta los materiales utilizados en la construcción de edificios, viviendas, fábricas, la energía eléctrica, informática, las tuberías de agua, de distribución de aire, oxígeno y formar la red telefónica, entre otros.

Así mismo, otros materiales de construcción, tuberías de gas, entre muchas otras, nos percatamos de la importancia de tomar medidas personales y colectivas para conservar la salud humana, de la flora, fauna y el ecosistema en general.

Por lo tanto, después de estos desastres debe ser más precavido en la ingesta de alimentos y en cuanto a la calidad del agua. Esto para evitar las complicaciones que puedan aparecer a posteriori.

Puede existir derrame y contaminación con metales pesados, como:

- **Arsénico:** Por los pesticidas y productos industriales. Se elimina rápidamente, pero puede detectarse en Rayos X.
- **Zinc:** Por destrucción de tuberías de hierro galvanizado y pérdida de zinc del latón que puede acompañarse de plomo y cadmio.
- **Cadmio:** Muy tóxico., es responsable de intoxicaciones. Se encuentra en tuberías galvanizadas.
- **Cromo:** Cancerígeno, puede encontrarse en ciertos desechos.
- **Mercurio:** Por envenenamiento en el agua e ingestión de alimentos propios de la zona afectada., ya sean vegetales, animales de su consumo, y otros.

Después del huracán es importante ingerir agua y alimentos de la mejor calidad posible, mantenerse la mayor parte del tiempo en atmósfera menos contaminada, evitar intoxicación con metales pesados originados en construcciones, pinturas, combustibles, tuberías galvanizadas, diferentes gases.

Entre los **síntomas y signos** de intoxicación, podemos encontrar: cefaleas, mareos, náuseas, vómitos, dolores músculo esqueléticos, trastornos cognitivos, de memoria, vista, en la piel y demás.

El diagnóstico de la presencia de metales pesados se puede hacer, por los síntomas y signos, además por medio de examen de sangre, orina, heces fecales, cabello, Rayos X, tejidos y los que consideren necesarios.

Después de un huracán aumentan posibilidades de estancamiento de aguas en recipientes sin tapa, neumáticos, calles mal asfaltadas y demás. Esto lleva al crecimiento de vectores productores de diferentes patologías y preferentemente en verano. La mayoría de las veces por el mosquito, y el más frecuentemente encontrado **Aedes Aegypti**, pueden desarrollarse, el Dengue, la Fiebre Amarilla, la Fiebre de Zika, el Virus Mayaro, Chikunguña, y muchos más. En el 2020 apareció un brote de Coronavirus que ha causado gran número de contaminados y fallecidos hasta el momento.

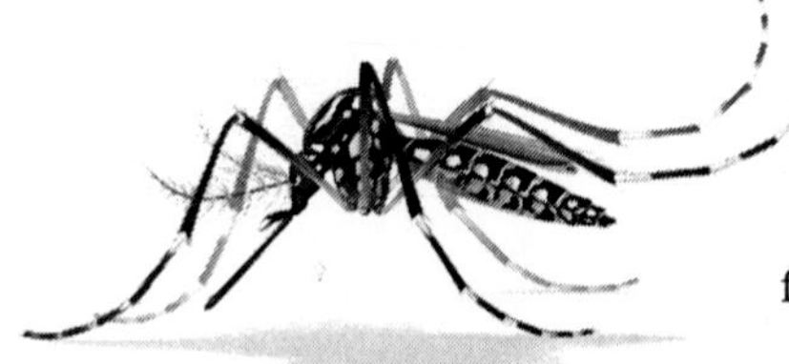

Mosquito Aedes Aegypti.

De suma importancia es el cooperar en la recogida de lesionados, discapacitados, menores de edad, mayores, edificaciones destruidas, escombros, maleza o espesura de plantas que dañan la tierra de cultivo, y todo lo necesario, de acuerdo con las Organizaciones Gubernamentales para tratar de restablecer la funcionabilidad lo antes posible y lograr la mejoría del ecosistema del cual dependemos.

Brindar asistencia emocional y material a los afectados que lo necesitaran ya sea por situaciones personales, familiares o del entorno.

Una vez organizada la situación, continuar una alimentación lo más estable posible para evitar complicaciones.

Después del diagnóstico, seguir las orientaciones del facultativo, mantener las condiciones en hábitos de vida saludable. Estar pendiente de algún síntoma de alarma personal y familiar.

Desde el punto de vista personal se puede tener buena hidratación con agua de calidad, frutas y vegetales, limpieza del sistema digestivo. En labores de remodelación, se puede utilizar mascarillas, guantes, y otras necesarias.

De igual manera, utilizar gafas protectoras, no calentar ciertas pinturas, cuidar en la reparación de radiadores, carpintería, baterías, pilas de carga eléctrica, restauración de arte, cerámica plomada y otras, para evitar intoxicaciones.

En toda situación es de gran importancia la cooperación entre todos los habitantes, los gobiernos, y la ayuda que pueda llegar de otros lugares.

Unirse por medio del amor a la vida, a los seres vivientes, la naturaleza, al desarrollo y dar gracias por las bendiciones que recibimos día a día, puede contribuir a crear una **ARMONÍA UNIVERSAL.**

Generalmente, después de estos eventos queda gran devastación que necesita ser reparada lo antes posible para restablecer las condiciones básicas de vida, ecosistema, estructuras, comunicaciones y todo lo demás.

Por ello es importante valorar el estado de todo para evitar la aparición de enfermedades y epidemias. Lo primero es la preservación de la vida y salud para adecuar el resto.

En época de huracanes, además de otras patologías puede aparecer una enfermedad de distribución mundial, llamada **LEPTOSPIROSIS**.

Los síntomas parecidos a ella fueron descritos por el padre de la medicina, Hipócrates, Galeno, después, científicos de España, Francia, la India y otros. Ésta tiene algunas variantes.

Adolph Weil.

El científico alemán Adolph Weil, advirtió sobre una enfermedad febril, aguda, con ictericia, esplenomegalia y trastornos renales entre otros.

Esto lo apreció en unos experimentos en una granja de Alemania. Posteriormente y a su nombre, se le designó como Leptospirosis Ictérica a esa variante. Adolph Weil falleció en 1916 por afección pulmonar.

El ser humano puede infectarse con la Leptospirosis por ingerir agua contaminada con la Leptospira, además, contacto directo en lesiones de la piel, mordedura de animales domésticos o silvestres infectados igualmente, y hasta en la piel sana.

Dentro de los síntomas y signos más frecuentes: estado febril agudo, cefalea, náuseas, vómitos, alteraciones digestivas, respiratorios, cardiovasculares, lesiones en la piel, nariz, garganta y otras.

La Leptospirosis, se encuentra en el perfil frecuente de pacientes contaminados en ciertas ocupaciones o actividades, entre otras:

Aquellos relacionados con la agricultura, veterinarios, nadadores, mineros, empleados de acueductos, pescadores, picineros, baños frecuentes en algunas piscinas, uso de agua estancada. Igualmente, la tenencia de mascotas sin llevar el debido control sanitario de ellas y que se relacionan con animales silvestres.

La frecuencia, en la aparición de las variantes, sin íctero y con él, es la siguiente:

- Leptospirosis anictérica ... 90%.
- Leptospirosis ictérica ... 10%.
- Período de incubación o **tiempo** de aparición de los síntomas es de 2 a 26 días.

En la época de lluvias, además de la **Leptospirosis**, pueden aparecer otras afecciones producto de las secuelas después de un huracán, como Dengue, Hepatitis, Tétanos, Cólera, Zika, Fiebre Amarilla, Gripe, Chikunguña, las que en algún momento pueden presentar síntomas y signos parecidos, y una de las causas más frecuentes en algunas, es el Mosquito Aedes Aegypti.

Se impone un cuidado preventivo de los **alimentos** con su lavado, y tiempo de cocción adecuado, carnes well done (bien hechas) para evitar ingerir bacterias y parásitos. Antes de manipularlos, mantener los utensilios en las mejores condiciones posibles.

Lavado de manos e hidratación en niños, enfermos y ancianos, alimentación adecuada, seguirles sus tratamientos, medidas higiénicas, atención emocional-física, abrigarlos adecuadamente y todo aquello que esté en nuestras manos y los servicios de emergencia.

A las personas mayores, medicamentos, cubrirlas para mejor temperatura, cuidado de uñas, atención emocional, cremas para proteger su piel, limpieza de gafas.

Es nuestra responsabilidad individual y colectiva tratar de cooperar para restablecer las afectaciones lo antes posible y así lograr un status aceptable para la convivencia hasta que se restablezcan.

Las **mascotas** tenerlas en sus sitios apropiados y tratar de evitarles salir a lugares con agua estancada, jugar con animales silvestres, lugares fangosos contaminados, que después llevan los desechos a la casa y juegan con los niños.

"Cuidar la naturaleza como a nosotros mismos".

Algunas medidas de prevención

LABORES DE LIMPIEZA DEL ENTORNO

Dentro de lo posible, mantener los objetos de uso personal en las mejores condiciones de aseo, con productos que se encuentren a la mano.

Lavado de frutas y hortalizas más que de costumbre, pues seguramente estuvieron expuestas a aguas contaminadas. **HERVIR EL AGUA**. Las tuberías pueden estar afectadas y el agua en condiciones no aceptables.

Piscinas, tratar de tenerlas en un pH neutro, ya que muy ácido o alcalino pueden producir lesiones. Buscar que conserve las debidas propiedades, limpieza metódica con la utilización de las sustancias requeridas para ello, desinfección, floculante que actúa sobre el filtro que igualmente debe conservar las condiciones apropiadas, tratamiento del agua, paredes, desagües y más, por personal capacitado.

TRATAMIENTO

Se atienden los síntomas y signos, medicamentos en casos necesarios siempre que sea recomendado por su profesional de la salud.
Recordar por otras posibles infecciones, cubrir con mangas largas, proteger el cuerpo al salir sobre todo en las noches, utilizar mosquitero, repelente de insectos, tener cerca antihistamínicos por si ocurre alguna reacción alérgica, y otras orientadas.

PRIMEROS AUXILIOS Y EN GENERAL

Cargar un maletín de primeros auxilios incluyendo, además, mascarilla, medicamentos habituales, solución antiséptica, toallitas humedas, sombrero, gorras, pañuelos de cabeza, iluminación portátil, gafas, teléfono portátil y cargador, agua, guantes, desinfectante, antihistamínicos, antiinflamatorios, calmantes recetados, desodorante, jabón. Artículos de uso personal, otras pertenencias necesarias, identificación, número telefónico de contacto, nombre de su profesional de la salud, centro hospitalario, y todo aquello que le resulte útil.

“¡La prevención es primordial!”.

En esta temporada siento ciertas alteraciones de salud. ¿Por qué?

Al principio del mes de abril, se sienten, en ciertas zonas, algunos cambios que reflejan el comienzo de la Primavera y con ella, las situaciones de salud que le acompañan.

Durante estos cambios, existe mayor humedad, polvo, desarrollo de virus, bacterias, hongos, parásitos, aumento de la temperatura y otros factores. En esta etapa, todo renace y florece, los días son más largos, hay más claridad y la brisa cambia.

Pero también trae ciertas dificultades a las personas alérgicas a diferentes sustancias.

Algunas de las enfermedades que pueden contraer son: **Parasitosis, Asma Bronquial, Varicela, Rinitis, Faringitis, Conjuntivitis, lesiones articulares, Úlcera Gástrica, enfermedades de la piel, infección gastrointestinal y más.**

La Varicela por aumento en la presencia del virus Varicela Zoster, con dolor de cabeza, de estómago, salpullido, ampollas que no deben dejar cicatrices.

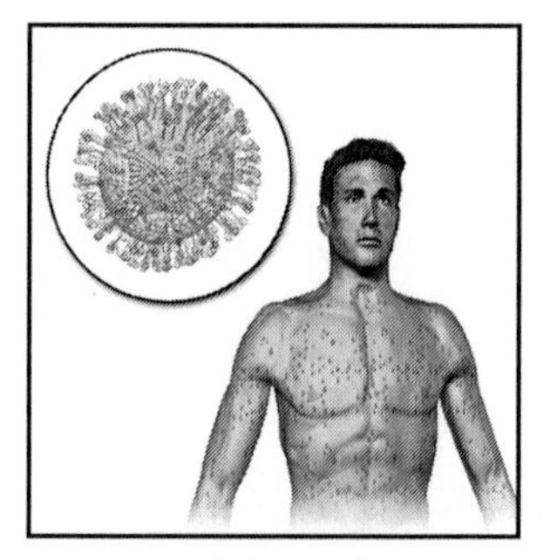

Varicela.

Parasitosis por servir de huésped a una serie de insectos, virus, hongos que viven a expensas de él, como: pulgas, garrapatas, ácaros, termitas, sanguijuelas, lombrices, helmintos, avispas y otros.

Úlceras gástricas, al aumentar el metabolismo y la acidez, existir cierto reflujo también puede coincidir o no con **Cólera**, o **Amebiasis**.

Infecciones en la piel, por bacterias, hongos, quemaduras del sol.

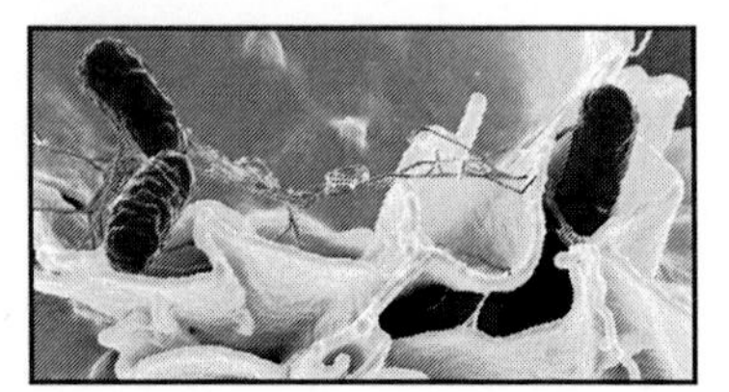

Salmonella.

Afecciones gastrointestinales, por crecimiento bacteriano, debido al calor y la humedad, crecimiento de la **Salmonella** y en ocasiones presencia del **Cólera**, por contaminación del agua o los alimentos.

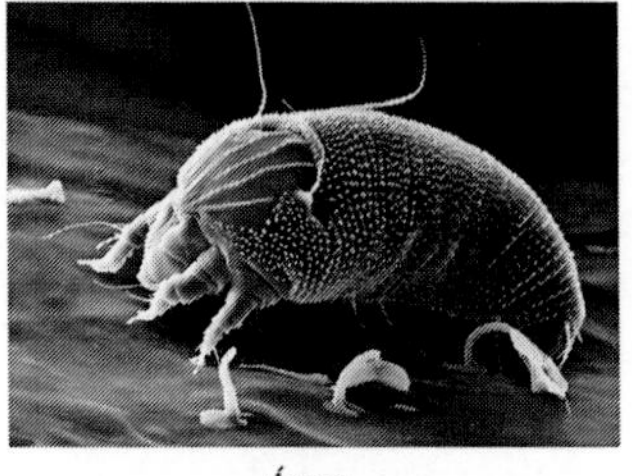

Ácaro..

Conjuntivitis, aunque aparece en cualquier época, aumenta su aparición por el polvo, ácaro y polen.

Lesiones articulares, como fracturas, esguince y trastornos articulares generales.

Amigdalitis, **Faringitis**, por mantener una respiración oral y tener obstruida o cerrada la nariz.

Rinitis, **Sinusitis**, **Bronquitis**, generalmente la más frecuente, debido a la perdida de la capacidad de las fosas nasales de calentar, humedecer y filtrar el aire recibido en cada inhalación.

Debe **acudirse a su facultativo** y seguir las orientaciones y realizar los exámenes correspondientes a fin de lograr mejorar su condición.

DESDE EL PUNTO DE VISTA PREVENTIVO

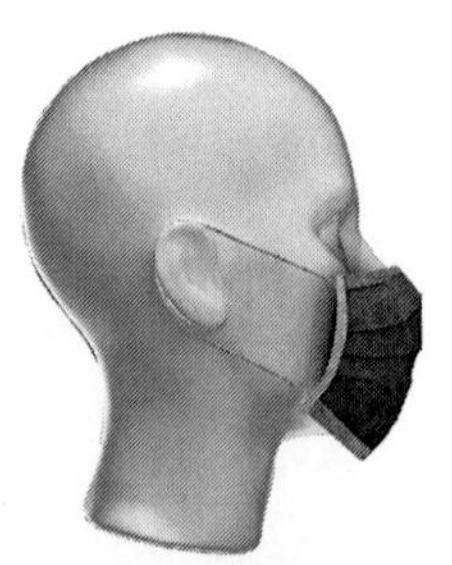

Mejorar el tratamiento a los alimentos, lavado cuidadoso de manos, evitar lugares con mucho polen, polvo, humedad. Casos críticos pueden utilizar máscaras o tapabocas. Tratar de evitar en lo posible los factores de riesgo sobre todo en alérgicos y llevar su tratamiento.

“Ante bacterias, virus y parásitos, hay que protegerse”.

Hablemos del Verano

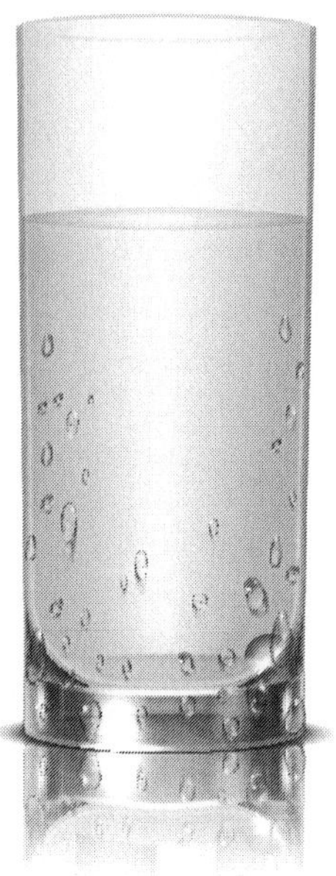

Su llegada depende del solsticio de verano, y es una temporada en que muchas personas disfrutan de vacaciones y escogen por realizar sus actividades preferidas. Algunas de éstas se realizan al exterior y se recomiendan algunas medidas de protección para todos y en especial niños y ancianos.

Los niños, no saben que deben tomar agua y los ancianos, a veces se les olvida, por lo tanto, debemos estar pendientes de su hidratación para que puedan disfrutar y no afectar su salud por el aumento del calor.

¿Por qué el efecto del calor? La **TERMORREGULACIÓN** u **HOMEOSTASIS** es la capacidad del cuerpo para realizar los procesos necesarios en busca de encontrar una estabilidad general. Ayuda a mantener la temperatura corporal entre 35 - 37.5ºC, según las tablas, aproximadamente, activando así, las funciones cerebrales y metabólicas.

Por otra parte, la temperatura mantenida por encima de los 40-41º C, más o menos, puede hacer colapsar el sistema y resultar complicado. Al subir la temperatura, se experimenta una serie de signos y síntomas que describiremos a continuación:

- **CALAMBRES**: Que aparecen por espasmos musculares, ejercicio exagerado y aumento de calor, lleva a la disminución de las sales minerales, que son de gran importancia para mantener las funciones.
- **AGOTAMIENTO POR CALOR**: Un esfuerzo físico prolongado en altas temperatura, manifestado por sudor, deshidratación con sed, fatiga, ansiedad, debilidad, taquicardia, aumento de la temperatura.
- **GOLPE DE CALOR**: Esta es la situación más delicada y puede comprometer sistemas que afecten el organismo en general. Se pierde la facultad de ajustar la temperatura corporal y esta sube más de 40 grados.

Los síntomas y signos más evidentes de este último caso son: Cansancio, náuseas, cefalea, vómitos, mareos, enrojecimiento, calambres, alteraciones de los sistemas respiratorio y cardiovascular.

A más de 41 grados, se encuentra afectación general y disminuyen las funciones, hay alteraciones químicas en el sistema nervioso central que lleva a fallo en los órganos.

Esos trastornos respiratorios, cardiovasculares, fallo renal, suspensión de la sudoración, edema pulmonar, arritmias cardíacas, shock, delirio, daño muscular, disminución de la conciencia, precisan la necesidad de traslado al hospital.

Repetimos algunas por la gran importancia y cuyos signos en ocasiones son más perceptibles que otras.

Resumiendo, esta parte:

- La fatiga e insomnio, por regulación hipotalámica del sueño y una trasmisión nerviosa lenta.
- La hipertermia (temperatura elevada), que produce confusión.
- Daño muscular, por trastorno circulatorio.
- Deshidratación, más del 2% del peso corporal, disminuye la memoria.
- El calor, disminuye la conducción nerviosa.
- Sequedad, Puede producir trastornos respiratorios que aumenta en lugares con gran polución.
- Cambios en el humor: Ocurre frecuentemente.

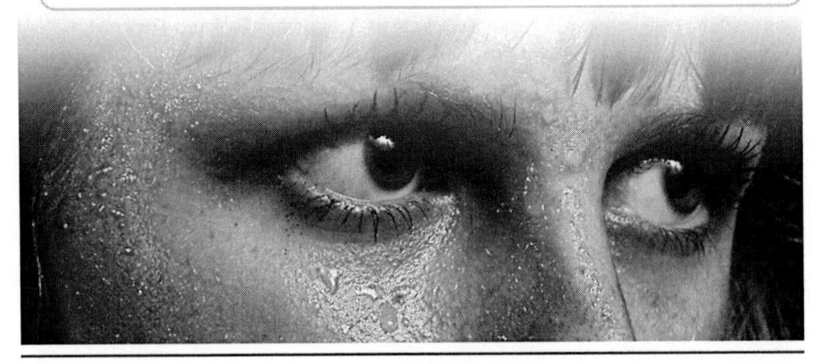

Podemos recordar **algunas medidas para evitar o disminuir** las afecciones por efecto del calor:

- Hacer ejercicios de respiración y si es al aire libre, mejor. También mindfulness.
- Disminuir el café, alcohol, azúcar.
- Tomar abundante agua dentro de lo normal, líquidos, jugos frescos.
- Vestir con ropa holgada, transpirable, fresca, clara.
- Bajar la temperatura, refrescar la piel, agua fresca, ducha fría si es necesario.
- Si alguien enferma y no mejora, llamar al servicio de emergencia de su localidad.
- Utilizar gafas de sol, sombrero, gorras, pañuelos de cabeza o lo que desee para cubrir su cabeza.
- Tratar de evitar exposición solar mantenida entre las 12 y 17 horas. Utilizar cremas fotoprotectoras. Repelente de insectos.
- No permanecer ni dejar personas o mascotas, botellas de plástico, encerrados en vehículo.
- Ingerir comidas ligeras que ayudan a reponerse. Son útiles, y necesarias, la hidratación, frutas, verduras, jugos o zumos naturales. Frescos.
- Siempre que pueda, mantenerse en lugares frescos o con acompañamiento de abanicos, ventiladores, aire acondicionado o algo de su elección.
- Protección contra los insectos y otras especies que puedan resultar dañinas.
- Utilizar calzado apropiado para uso en balnearios, piscinas, lugares públicos y así evitar infecciones en los pies y secarlos correctamente.
- LOS MEDICAMENTOS TENERLOS A LA MANO. NO EXPONERLOS AL SOL. PRECAUCIÓN CON LOS **ALÉRGICOS**, DIABÉTICOS, HIPERTENSOS, CON ENFERMEDADES NEUROLÓGICAS Y OTRAS CRÓNICAS. NIÑOS ACOMPAÑADOS EN TODO MOMENTO. PEQUEÑO KIT DE PRIMEROS AUXILIOS.

Primeros auxilios, porque en las actividades pueden ocurrir pequeños accidentes que a veces no precisan ir de urgencia a un hospital. En cualquier farmacia existen y en el hogar se puede preparar: Esparadrapo, gasa estéril, algodón, agua oxigenada, alcohol, termómetro, tijera, lupa, antisépticos, anti alérgicos, calmantes, tiritas, puntos de aproximación. Siempre pensando en las necesidades **INDIVIDUALES** y **GENERALES**.

Otros, como: El suero fisiológico, protector para picadura de insectos, indicados para vómitos y diarreas y otras que se las puede recomendar su médico, farmaceutico/a, o familiares con cierta experiencia.

Si no lo saben utilizar puede existir alguna persona que ayude si estamos preparados con material. Asistir al centro de salud más cercano en momento y caso necesario.

Muchas veces, con la ilusión de pasar unas buenas vacaciones, olvidamos cosas imprescindibles, y carecemos de ellas creándonos ciertas preocupaciones durante todo el tiempo.

Por ello, es recomendable preparar con tiempo, o hacer el listado para llevar lo adecuado sin faltas ni excesos. De esa manera, las preocupaciones serán menores, y mejor el tiempo útil para todos.

“Cuidándonos, en verano podemos recuperar las energías”.

Cuidarse en Otoño

Durante y después de la temporada de vacaciones generalmente hay excesos en las variantes alimenticias que encontramos durante los viajes realizados y nuevos manjares cotidianos. Después al revisar las básculas, muchos se atormentan por el aumento de peso, en el que no habían pensado. Y no es solo el aumento de peso, sino algunas alteraciones metabólicas que ocurren en nuestro cuerpo sin que nos percatemos de ello.

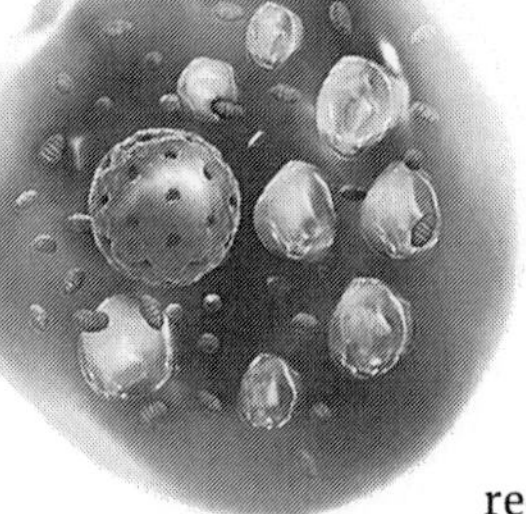

Célula de grasa.

El exceso de grasas, ciertas bebidas gaseosas refrescantes, aumento de la ingestión de carbohidratos, altas calorías, proteínas, y ahí se crea un desbalance no deseado.

Se debe mantener un ritmo al que estamos acostumbrados para que el organismo se recupere adecuadamente e incorporar las rutinas de ejercitación que conservamos.

La ingesta de fibra, sustancia vegetal que no se digiere habitualmente y previene sobre ciertas enfermedades que padecen determinadas personas, como diabetes, cardiovasculares, elevado colesterol, afecciones digestivas, articulares, neuromusculares, mentales y muchas más, es recomendable en todo momento para contrarrestar los efectos negativos de estas.

Esta fibra ayuda a la eliminación de sustancias encontradas en exceso y hasta cierto punto pueden ser dañinas al organismo. Aumenta el contenido intestinal y coopera en la sensación de saciedad, mejorando los niveles del colesterol, ciertas enfermedades, además de eliminar sustancias que se adhieren a las paredes intestinales provocando inflamaciones crónicas.

La **FIBRA SOLUBLE** aumenta el volumen fecal y favorece las evacuaciones, disminuyendo los niveles de colesterol y poder equilibrar las cifras en la Diabetes, tenemos esta variedad de fibra en: avena, zanahoria, cebada, legumbre, manzana y otras de su elección.

La **FIBRA INSOLUBLE**, tiene efecto laxativo, ésta se encuentra en: cereales integrales, legumbres, harina de trigo integral, acelga, lechuga, repollo (col), uvas, brócoli, espinaca, y otras. Haciendo un pequeño resumen, tenemos que hay diferentes afecciones comunes en esta temporada entre **VERANO Y OTOÑO**.

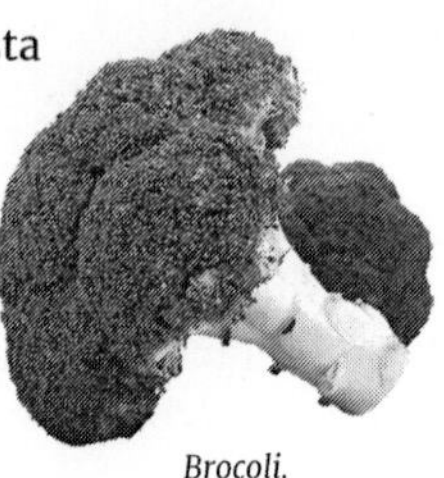

Brocoli.

1. Otras situaciones que alguno ha presentado es **DOLOR DE OÍDO** con disminución de la audición, sensación de eco al hablar e incluso en los pasos al caminar, acompañado de molestias al masticar, tocar la oreja y otras.
   Es posible que haya tenido un **TAPÓN DE CERUMEN** en el conducto y no era de su conocimiento por no realizarse estudios de esa especialidad anteriormente.
   Esos tapones se impactan en el oído y con el agua de playa, piscinas u otras se hinchan y producen esos síntomas.
2. Suele existir alguna afección nasal aguda.
3. Otros presentan fiebre, erupciones, dolor de cabeza, malestar general, que pueden diagnosticarse como **DENQUE**, **ZIKA**, **CHIKUNGUNYA**, u otra. Enfermedades tropicales que se han extendido y se producen por picadas de insectos, no cubrirse debidamente o no utilizar solución repelente al acudir a zonas específicas. Otras lesiones pudieron ser por mordedura de algún animal, necesitando posible vacunación.
4. Tenemos los **TRASTORNOS DIGESTIVOS** con acidez, reflujo, vómitos, diarreas, sensación de llenura, malestar general por ingesta de alimentos mal procesados o no bien conservados en diferentes cambios de temperatura, intoxicaciones cruzadas por intolerancias alimenticias a lactosa, gluten, ciertos tipos de alimentos y aderezos.
5. Dolor articular por esguince o torcedura por malas posiciones o traumatismos.
6. Afecciones en la piel y hasta quemaduras por ser esta muy sensible o no utilizar la debida protección, exponerse demasiado tiempo al sol y en horas no recomendadas.
7. Signos de deshidratación por el calor, sudor, poca ingesta de agua sobre todo niños y ancianos que lo olvidan.

COMENZANDO EL OTOÑO

El cambio de horario y aspecto general puede afectar en algo a personas con disfunciones del sistema inmunitario, así como la aparición de depresiones en quienes son melancólicas, viven solas o se consideran mal atendidas.

Por la humedad , la caída de los árboles caducos, los días de sequía, el polvo ambiental, la **POLUCIÓN** propia de cada estación y lugar, puede acarrear, crisis respiratorias, rinitis, sinusitis y otras afecciones dependientes de ellas como complicaciones.

Existen muchas causales y lo importante además de disfrutar en cualquier temporada, es tratar de incorporar en nuestro equipaje ciertas provisiones necesarias para enfrentar algunas de estas situaciones de forma preventiva.

Hay muchas recomendaciones que están a la mano en casa y los centros de salud en general, las que deben seguirse, como: la documentación necesaria, proveer de seguridad nuestra vivienda, lavado frecuente de manos, no tocar la boca, nariz, ojos, llevar ropa adecuada de acuerdo a la estación, gafas de sol, baño regular, los medicamentos, calzado adecuado, calcetines de algodón, y las otras muchas recomendaciones de conocimiento general para el próximo viaje.

Así podremos, en parte disminuir los inconvenientes en los momentos que hemos esperado para disfrutar con las personas y en lugares que seleccionamos.

“El dorado del otoño presenta un bello espectáculo”.

Disfrutando del Invierno

Con el frío no puedo salir a la calle, me afecta mucho. ¿Por qué?

El invierno se caracteriza por ser la estación más fría del año y con noches más largas. El mismo es provocado por la inclinación del eje terrestre sobre su plano orbital en 23.44 grados.

Generalmente el solsticio de invierno ocurre aproximadamente el 22 de diciembre en el hemisferio norte y el 21 de junio en el sur y posiblemente termina en equinoccio de primavera, más o menos el 21 de marzo en el hemisferio norte y el 21 de septiembre en el sur, con sus variaciones.

Desde el punto de vista meteorológico se considera que el invierno abarca, diciembre, enero y febrero en hemisferio norte, así como y junio, julio y agosto en el sur.

En esta etapa invernal, son muy frecuentes ciertas afecciones de salud para las que debemos estar preparados y así evitarlas en gran parte.

Recordamos que en las fosas nasales existen unas microscópicas estructuras que tienen a su cargo, entre otras cosas, calentar, humedecer y filtrar el aire que inhalamos.

Ese aire inhalado pasará por la faringe que es el conducto que comunica la parte posterior de la nariz con el resto del sistema respiratorio y todo está cubierto por una capa llamada mucosa, que cambia sus características según el lugar que ocupa. El aire inspirado llega a la parte inferior donde se encuentra la entrada a la laringe con la epiglotis, vestíbulo, cuerdas vocales falsas, verdaderas, ventrículo, tráquea y árbol bronquial que como recordamos tienen diferentes características en su función de defensa.

Al existir poca protección a nivel de las vellosidades en las fosas nasales, estas, disminuyen su movilidad y capacidad protectora dando lugar a la entrada incontrolable de gérmenes, frialdad, sequedad ambiental que conduce a enfermedades respiratorias en aquellos con la condición de déficit inmunológico.

Algunas afecciones frecuentes en esta etapa son: asma, resfriados, dolor de garganta, vómitos por nono virus, rino-sinusitis, otitis, bronquitis, conjuntivitis, dolores articulares y de cabeza (cefaleas), grietas labiales y más.

Muchas de estas patologías pueden producirse por tener una predisposición personal, por relación o contacto con personas o lugares, objetos y superficies contaminadas.

En presencia de cambios bruscos de temperatura, permanecer en lugares cerrados o con poca ventilación, secos o con poca humedad, además, son factores predisponentes

ALGUNAS RECOMENDACIONES GENERALES

Entre ellas están algunas muy conocidas:

- Evitar los cambios bruscos de temperatura.
- Cubrir la boca y nariz al salir al aire frío.
- Evitar lugares contaminados con humo y muy secos.
- Mantener humedad suficiente en el hogar.
- Ventilar habitaciones cierto tiempo durante el día para evitar en algo la proliferación y crecimiento de ácaros.
- Abrigarse adecuadamente.
- No compartir utensilios.
- Utilizar chimeneas, estufas o calentadores si es necesario.
- Buscar entretenimiento para evitar depresiones en aquellos que la padezcan. Por otra parte, hay otros que prefieren la soledad. Todos tenemos opciones muy personales para sentirnos de la mejor manera en todas las estaciones.
- Lavar las manos frecuentemente, sobre todo a los menores de edad.
- Ingerir las vitaminas, minerales y otros nutrientes que se les indique para tener un sistema inmunológico en buenas condiciones.
- Alimentarse correctamente para mantenerse en adecuadas condiciones energéticas.

Consideramos que siempre, ante síntomas correspondientes a alguna afección debe acudir al profesional de la salud para su estudio y tratamiento.

Seguir las normas de Salud Pública destacadas en su zona.

Todos no tenemos grandes facultades para trasladarnos físicamente como las aves, peces... por ejemplo: hay aves migratorias que realizan viajes cortos y otras los hacen a distancias fenomenales. Ejemplo: el Chambergo, viaja del norte de Estados Unidos y Canadá, hasta el norte de Argentina, recorriendo 16,000Kms.

Los pingüinos se trasladan a largas distancias por medio de la natación en ciertas épocas del año.

Pertenecen a la orden Sphenisciforme, que tiene 17 especies diferentes, se encuentran en el hemisferio sur y en las islas Galápagos. Son aves no voladoras, aunque antes existían especies que volaban, pero la gran carga energética con respecto al tamaño de sus cuerpos fue adaptando algunas de sus facultades.

Los huesos de las alas, son más pequeños y cubiertos de plumas, que se pueden adaptar al agua y son capaces de recorrer de 10 a 60 kilómetros caminando o nadando.

Saltan, flotan rápidamente fuera del agua donde se impulsan como proyectiles porque envuelven sus cuerpos con una capa, formando burbujas y las expanden para llenarlas de aire, ellos nadan y caminan.

En invierno migran del hemisferio sur a zonas cálidas, con caminatas de hasta 100 días, o nadando. De las Malvinas van al noroeste por las aguas de América del Sur y otros van al norte en manadas.

La naturaleza con todo lo que le acompaña es un buen ejemplo de supervivencia y recuperación.

"La necesidad de supervivencia fortalece la actitud".

GLOSARIO

AMENORREA - Falta de menstruación.
AUTOESTIMA - Estimación-valoración de sí mismo.
BORBORIGMO - Ruido de tripas por movimiento de gases.
BRADICARDIA - Pulso lento.
CARRASPEO - Tos ligera para aclarar la garganta.
CEFALEA - Dolor de cabeza intenso.
CEREALES - Producto laborado con semillas de plantas enriquecido con vitaminas y otros nutrientes.
DISARTRIA - Dificultad en la articulación de las palabras que puede ser de origen neurológico.
ECTROPION - Inversión hacia afuera del párpado inferior.
ENDOLINFA - Líquido que rellena el laberinto membranoso del oido de los vertebrados.
ENTROPION - Inversión del párpado inferior por contracción muscular o reacción cicatrizal.
EPÍFORA - Lagrimeo.
ESPLENOMEGALIA - Aumento de tamaño del bazo.
FOTOFOBIA - Aversión y molestia en presencia de la luz.
GIRO DENTADO - Circunvolución en la parte inferior del lóbulo temporal del encéfalo. Muy importante en la fijación del recuerdo.
GLUCOPROTEÍNA - Moléculas compuestas por una proteína y varios glúcidos.
GRAMÍNEA - Semillas ricas en gluten y almidón.
HDL - Colesterol de baja densidad.
HIPOACUSIA - Disminución de la audición.
HIPOCAMPO - Eminencia alargada situada junto a los ventrículos laterales del cerebro.
HIPOXIA - Falta de oxígeno.
IMC - Índice de Masa Muscular.
INCOLORO - Sin color.
INMUNODEFICIENCIA - Defensas bajas. Sistema inmunitario deficiente.
INODORO - Sin olor.
INSÍPIDO - Sin sabor.
LDL - Colesterol de baja densidad.
HDL - Colesterol de alta densidad.
METEORISMO - Aumento del abdomen producto de acumulación de gases.

MICÓTICO - Por hongos.
MIDRIASIS - Dilatación de la pupila.
MIOSIS - Contracción de la pupila.
MOLÉCULA - Agrupación ordenada de átomos es la parte más pequeña y conserva sus propiedades.
MUCOSA GÁSTRICA - Capa interna del estómago formada por sustancia mucinosa que lo protege de la acción del ácido clorhídrico y otras enzimas.
PERILINFA - Liquido que se encuentra en el laberinto, en el oído interno.
PROTEÍNA - Sustancia química parte de las membranas celulares y actúan como biocatalizador del metabolismo y actuar como anticuerpo.
PULPEJOS - Parte pequeña y carnosa de partes pequeñas del cuerpo. Ej. punta de los dedos, etc.
TINITUS - Ruido de oídos.
TIROARITENOIDEO - Músculo de la cuerda vocal verdadera.
TRIGLICÉRIDO - Obtenido al formarse ésteres de los tres grupos de alcohol de la glicerina con ácidos.

APÉNDICE

Al cierre de la edición nos solicitaron información sobre ciertas características de la Dieta Mediterránea, y revisamos algunas actualizaciones sobre la misma, que traemos con mucho gusto.

Según su definición es más que una simple pauta nutricional, sino un estilo de vida equilibrado, con acciones diversas en busca de una salud estable.

Tiene en cuenta los diferentes nutrientes, tipo de grasa saludable, los micronutrientes, el uso de verduras de temporada, hierbas aromáticas, condimentos y su balance, actividades físicas y sociales, relajación, y otros que verán reflejados en las pirámides oficiales. En su dominio público.

¿QUÉ ES Y CÓMO ME AJUSTO A LA DIETA MEDITERRÁNEA?

En respuesta a las preguntas que nos hacen, hemos decidido incluir un aspecto muy importante en la salud general de las personas, y hablamos de la Dieta Mediterránea, de la que hicimos un resumen detallado sobre sus aspectos y actualizaciones según refieren la OMS y la Fundación Dieta Mediterránea en sus dominios públicos y oficiales.

Se han realizado variantes beneficiosas en su composición, como un equilibrio compuesto por productos, actividades comunitarias, costumbres, recetas variadas, formas de cocinar y actividades diarias en general.

Lleva un patrón alimentario donde se destaca la presencia de la grasa del pescado, aceite de oliva, los frutos secos, y otras combinaciones.

Recetas con porciones de nutrientes procedentes de cereales, vegetales como base de los platos, y la carne o similares como guarnición. Verduras de temporada, condimentos y variadas hierbas aromáticas, los más frecuentes.

Actividades personales en busca de equilibrio mental y físico.

¨La UNESCO la reconoció como uno de los elementos de la lista representativa del Patrimonio Cultural Inmaterial de la Humanidad¨

ALGUNOS ASPECTOS INTRODUCIDOS Y GENERALES

1. **Actividad física:** diaria de acuerdo a las necesidades y posibilidades. Teniendo en cuenta la individualidad, entretenimiento, relajación.
2. **Agua-Hidratación:** consistente en 1,1.5, o 2 litros diarios para tener un buen equilibrio hídrico, que es fundamental para todos. Vino con moderación. Infusiones, jugos. Las bebidas fermentadas, ocasionalmente.
3. **Vitaminas y otros nutrientes:** Abundantes alimentos de origen vegetal, verduras, siempre presentes y una porción cruda preferentemente, con varios colores y texturas, además de legumbres, hortalizas, frutos secos para obtener los antioxidantes, vitaminas, minerales, fibra, agua y sustancias protectoras. Cinco veces al día.
4. **Carbohidratos:** Pan, arroz, cuscús, pasta, una o dos raciones por comida. Para lograr la energía necesaria, cereales.
5. **Grasa principal:** Aceite de oliva, rico en Vitamina E, beta carotenos, ácidos grasos monoinsaturados, con acción cardio protectora, considerado como un tesoro en la gastronomía. Pescado, preferentemente el azul una o dos veces por semana.

- **Alimentos poco procesados**, seleccionados los frescos.
- **Carne:** Como parte de sopas, dos veces por semana.
- Derivados lácteos, frutos secos, aceitunas
- **Huevos:** Tres o cuatro semanales.
- **Postre y meriendas:** puede recomendarse frutas frescas y dejar dulces y pasteles para ciertas ocasiones.
- **Vino:** moderadamente

Existen muchas variantes dietéticas, pero la utilización es personalizada, correctamente evaluada por su profesional y de acuerdo a sus características muy personales y necesidades.

Para mayor información consultar con sus páginas oficiales.

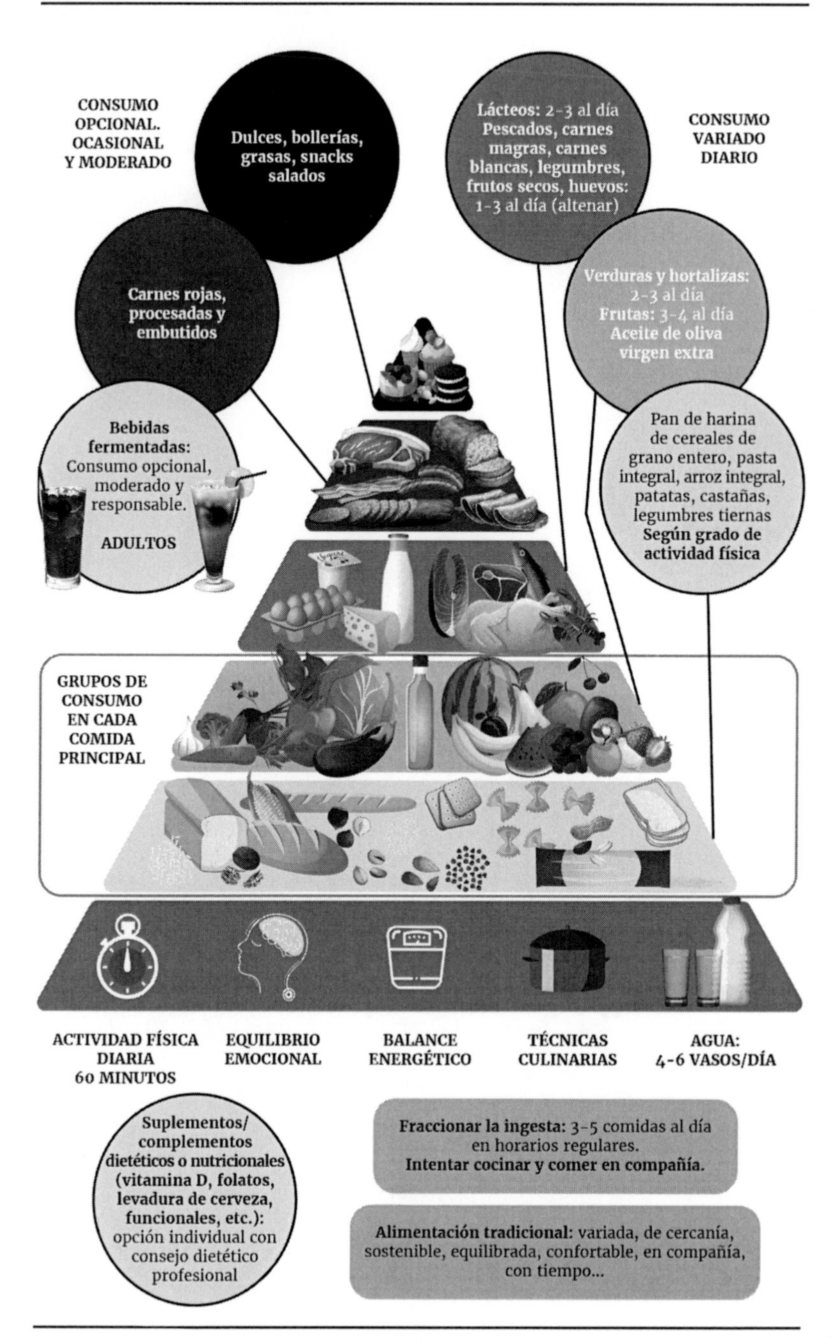
CONSUMO OPCIONAL. OCASIONAL Y MODERADO
Dulces, bollerías, grasas, snacks salados
Lácteos: 2-3 al día
Pescados, carnes magras, carnes blancas, legumbres, frutos secos, huevos: 1-3 al día (altenar)
CONSUMO VARIADO DIARIO
Carnes rojas, procesadas y embutidos
Verduras y hortalizas: 2-3 al día
Frutas: 3-4 al día
Aceite de oliva virgen extra
Bebidas fermentadas: Consumo opcional, moderado y responsable.
ADULTOS
Pan de harina de cereales de grano entero, pasta integral, arroz integral, patatas, castañas, legumbres tiernas
Según grado de actividad física
GRUPOS DE CONSUMO EN CADA COMIDA PRINCIPAL
ACTIVIDAD FÍSICA DIARIA 60 MINUTOS
EQUILIBRIO EMOCIONAL
BALANCE ENERGÉTICO
TÉCNICAS CULINARIAS
AGUA: 4-6 VASOS/DÍA
Suplementos/complementos dietéticos o nutricionales (vitamina D, folatos, levadura de cerveza, funcionales, etc.): opción individual con consejo dietético profesional
Fraccionar la ingesta: 3-5 comidas al día en horarios regulares.
Intentar cocinar y comer en compañía.
Alimentación tradicional: variada, de cercanía, sostenible, equilibrada, confortable, en compañía, con tiempo...

APÉNDICE 2

Tuve la oportunidad de adquirir conocimientos dentro de la medicina complementaria, certificarme, y ejercer como Terapeuta de Masaje Avanzado, por el Puerto Rico Massage & Bodywork Institute, Associated Bodywork & Massage Professionals, Touch for health Kinesiology Association, Reflexology, A.R.C W.A, El Nuevo Lucero de Puerto Rico, SMM, CIMAS, Atlantaria-Quiromasaje (Tenerife) y otros.

Por ello les agrego sobre la existencia milenaria de ciertos procedimientos utilizados a través del tiempo en el mundo, con diferentes denominaciones, pero parecidas en concepto y funciones. Unas por medio de productos naturales, otras con procedimientos manuales o instrumentales, pero en busca del bienestar holístico de las personas.

PROCEDIMIENTOS HOLÍSTICOS

Son aquellas que se utilizan en busca del poder de sanación natural del individuo desde el punto de vista integral, mente, cuerpo y alma.

Se basa en que el cuerpo posee propiedades naturales que bien utilizadas puede proporcionar beneficios incalculables y utilizan mecanismos de antaño y otros modernos.

La palabra Holístico, es comprendida como general, todo, completo, integral, en cualquier rama del saber, ej: psiquiatría holística, trabajo holístico, cuando se produce de manera integral.

Según la **RAE**: ¨Es una doctrina que respalda la concepción de cada realidad, como un todo distinto de la suma de las partes que lo componen¨

LOS PROCEDIMIENTOS

Estos procedimientos datan de mucho tiempo, tanto que actualmente hay tantos tipos como cantidad de profesionales en la rama.

En Japón, India y China, se utilizó como balance energético, embellecedor, utilizando la energía del CHI o PRANA. Posteriormente en Grecia y Roma, pasó a Terapéutico, deportivo.

En el siglo XV a XIX como rehabilitador y se combinaba con ejercicios.

En el siglo XX fue incorporada a la Medicina Tradicional y con fines terapéuticos.

ALGUNOS DE LOS PROCEDIMIENTOS HOLÍSTICOS

Muchos se basan en que ciertas partes superficiales del cuerpo, si son estimuladas en algunos puntos, influyen positivamente en la actividad de zonas internas, de modo reflejo, por los meridianos energéticos.

- **Acupuntura:** Actúa en el flujo energético por medio de los meridianos.
- **Digitopresión:** Parecido a la Acupuntura, pero practicada con los dedos.
- **Auriculoterapia:** En las orejas con los dedos u objeto fino.
- **Moxibustión:** Se utiliza preferentemente con la planta Artemisa, para aplicar en puntos de moxa con el calor que se difunde por los puntos y meridianos de acupuntura. Hojas secas y en forma de un habano o puro.
- **Reflexología general y podal:** Con las manos sobre los puntos referenciales coordinados con órganos y sistemas.
- **Naturopatía:** Atiende afecciones de las personas por medio de productos naturales diagnosticados en consulta, y si es necesario, con la ayuda de la Iridología y la kinesiología, agrega acciones depurativas, oligoelementos, fitoterapia, flores y otros productos naturales según se necesite. Comenzó en China y se utiliza en el mundo pudiendo combinarse con otras técnicas.
- **Masajes:** Sueco, Relajante, Deportivo, Tailandés, Ayurveda, de Piedras calientes, Shiatsu, Californiano, Drenaje linfático, Cráneo sacral, Trigger Points, Cupping, Balinés, Geotermal, Californiano, y muchos más, ya que cada profesional utiliza maniobras personales de acuerdo a su criterio con cada persona. Yoga, Chikung muy generalizados
- **Kinesiología:** Procedimiento manual que activa la respuesta muscular con la que determina desequilibrios, y con ello poder actuar adecuadamente en busca de la recuperación de la persona. Son técnicas terapéuticas que ayudan a que los afectados recuperen el movimiento normal de ciertas partes de su cuerpo. Activan la circulación de la energía a través del cuerpo según los meridianos, y que una vez interrumpida, da lugar a diferentes afecciones. Utiliza la neurología, anatomía, biomecánica, la fisiología en su estructuración en busca del equilibrio mental, físico y emocional de la persona.

- **Iridología:** Por medio del examen del **iris** les permite apreciar procesos pasados, presentes y futuros para actuar a favor de eliminar posibles consecuencias negativas.
- **Homeopatía:** Método curativo de ciertas enfermedades, y consiste en aplicar pequeñas cantidades de algunas sustancias que, si se aplicaran en grandes cantidades a un individuo sano, provocaría los síntomas que se desean erradicar. Es un sistema de medicina alternativa, basada en ¨Lo similar cura lo similar ¨ creada en 1796 por Samuel Hahnemann.

Mencionaremos algunas más: **Fitoterapia, Cromoterapia, Chacras, Biomagnetismo, Cuarzos, Cristal terapia** y muchas más.

AYUDA EN CASA

Hay centros acreditados con orientación y ayuda de profesionales para favorecer igualmente la movilidad que redunda en mejorar las condiciones en el desempeño diario y bienestar personal y que al final determina mejor estado mental, físico y emocional.

Con igual intensión para mantenerse ágil, y mejores condiciones, existen ciertos ejercicios que pueden realizarse en el hogar, teniendo en cuenta las diferentes funciones de movilidad en general. Por ejemplo: Respiración, Sentadillas, de equilibrio, abdominales, postura, flexión, extensión rotación de brazos, cuello, piernas, manos, pies, dedos, torso suavemente, subir y bajar varios pisos de escalera (1-2-3), y más.

Toda la información expuesta, queda bajo la responsabilidad del lector, ya que nuestra recomendación es visitar al profesional de su elección para valorar las indicaciones individuales, que al final puedan utilizar en cada situación.

GRACIAS

Al finalizar esta lectura,
muchos lograrán tener
mejores condiciones en la relación
con su profesional de la salud,
paz, satisfechos por haber reconocido o recordado
muchas partes de su cuerpo y mente y alma.

Recomendamos para
ejercicios de memoria y más,
el Método de Estudio Español/Inglés
de esta autora u otro de su elección.

¡¡GRACIAS!!

AGRADECIMIENTOS:

GRÁFICOS DE

FOTOGRAFÍAS DE:

pixabay

Ds 30 · Alexas Foto · Mar Dais
Mabel Amber · Matt Trostle
Susann Mielke · Rudy and Peter Skitterians
Harald Heuser · Shutterbug75
Holger Grybsch · PublicDomainPictures
Free-Photos · Skeeze
Gerd Altmann · Alterio Felines
Erik Erik · Zhivko Dimitrov
David Mark · WikiImages
Miltonhuallpa95 · Nir_design
Alexander Lesnitsky · Wolfgang Claussen
Maja7777 · Holger Grybsch

Elly Fairytale · Vojtech Okenka
Elle Hughes · Juan Pablo Serrano Arenas
Burst · Anna Shvets
Skitterphoto · Dominika Roseclay
Alexander Krivitskiy

AGRADECIMIENTO ESPECIAL:
A la Doctora **Odelinda Portú Cárdenas**,
por su participación en la creación de este libro.